La vie
entre parenthèses

Hervé Desbois

La vie
entre parenthèses

ÉDITIONS DE MORTAGNE

Données de catalogage avant publication (Canada)

Desbois, Hervé
La vie entre parenthèses

ISBN : 978-2-89074-786-9

I. Titre.

PS8635.O269O76 2008 C843'.6 C2008-940219-7
PS9635.O269O76 2008

Édition
Les Éditions de Mortagne
Case postale 116
Boucherville (Québec)
J4B 5E6

Distribution
Tél. : 450 641-2387
Téléc. : 450 655-6092
Courriel : info@editionsdemortagne.com

Dépôt légal
Bibliothèque nationale du Canada
Bibliothèque nationale du Québec
Bibliothèque Nationale de France
1er trimestre 2009

ISBN : 978-2-89074-786-9

1 2 3 4 5 – 09 – 13 12 11 10 09

Imprimé au Canada

Nous reconnaissons l'aide financière du gouvernement du Canada par l'entremise du Programme d'aide au développement de l'industrie de l'édition (PADIÉ) et celle du gouvernement du Québec par l'entremise de la Société de développement des entreprises culturelles (SODEC) pour nos activités d'édition. Gouvernement du Québec – Programme de crédit d'impôt pour l'édition de livres – Gestion SODEC.

Membre de l'Association nationale des éditeurs de livres (ANEL)

Je voudrais remercier les Conseils des arts et des lettres du Canada et du Québec qui, année après année, ont refusé mes demandes de bourses. Ils ont peut-être contribué à faire en sorte que je ne crois qu'en moi et, ainsi, renforcé ma détermination à réussir.

Merci à mes filles, Maïgwenn et Maude, à ma compagne, Francine. Votre joie de vivre et vos sourires me disent que la vie n'est pas un accident.

Remerciements

Merci aux dames des Éditions de Mortagne pour vos conseils toujours avisés, votre dynamisme contagieux et votre foi dans les auteurs. Et un merci tout particulier à Carolyn qui m'a aidé à sortir le meilleur de mon imagination avec le tact d'une sage femme.

C'est la nuit qu'il est beau de croire à la lumière.

Edmond Rostand

Naître, grandir, se reproduire et puis mourir ?

Est-ce là le résumé de toute vie sur cette planète ?

Il faut aller au-delà des apparences, comme on se force à lire un bouquin au-delà du premier chapitre avant de décider de ce qu'on en fait.

À bien y regarder, la vie n'est pas si linéaire. Elle ne l'a jamais été, et l'est encore moins aujourd'hui.

Si la routine semble l'étouffer, la vie finit toujours par resurgir, quelque part, un jour.

Sinon elle meurt. D'une façon ou d'une autre.

En vérité, la vie est échevelée, imprévisible, surprenante.

Comme cette histoire qui commence.

Il faut d'abord que je vous parle de cette fille avec un nom si étrange : Naÿle. Après tout, c'est en grande partie à cause d'elle si je suis dans un tel état aujourd'hui. À moins que ce ne soit *grâce* à elle ?

Bref, maintenant encore je me demande qui elle est vraiment.

Et que trouve-t-on lorsqu'on va au-delà des apparences ?

Naÿle est un ange venu de nulle part, même pas du ciel. Un de ces anges qui viennent emplir les silences, les parenthèses de la vie, ces moments où le temps flotte et porte en lui les semences de l'infini.

Naÿle est un fantasme vu de trop près. Qu'elle soit blonde, brune ou Vénusienne n'a aucune importance, c'est ce parfum de liberté perdue qui m'a fait tourner la tête. Mon collègue et ami Georges, dans sa grande sagesse humanoïde, m'avait répondu que c'était là le lot de tous les quadragénaires de notre espèce ou d'une autre. Mais je me suis toujours refusé à accepter les clichés, les modèles et les moules dans lesquels on tente de nous faire entrer de force, depuis toujours et obstinément. Aujourd'hui encore, et plus qu'hier, je me dis que la liberté n'est pas l'apanage de la jeunesse.

Je suis tombé amoureux d'un rêve passé trop près de moi, comme ces colons du *Mayflower* partis à la recherche d'un monde meilleur, d'une utopie, partis sans savoir ce qu'ils trouveraient au bout de l'océan, n'importe quoi pour les faire sortir d'un quotidien plus lourd de passé que d'avenir.

Je suis tombé amoureux d'un rêve qui ne m'était pas destiné, comme une image d'agence de voyages qui nous fait voir d'autres rivages, des endroits qu'on imagine mieux qu'ici, des pays où la vie est différente.

Je suis tombé amoureux d'un rêve qui me réveille en pleine nuit, moite et tremblant de désir, un rêve qui me laisse amer et insomniaque jusqu'aux premières lueurs d'un jour incertain.

Au départ, j'étais tout à fait conscient de ne pas savoir jusqu'où cette histoire me conduirait. Mais cela m'était égal, et je pensais que la vie avait le mérite d'être parfois délicieusement dangereuse. Alors j'ai plongé, bille en tête, tête première, comme un malade proche de sa phase terminale voudrait vivre son dernier sursis. C'est la première décision qui est consciente ; après, on dit qu'on laisse aller, qu'on verra bien où tout cela mènera, et on apprécie chaque nouvelle journée comme un gamin trépigne devant une pochette surprise, vaguement conscient de pouvoir tomber sur le gros lot ou sur rien. Je me rappelle avoir ressenti la fièvre du danger tout proche, la vibration du point de non-retour, le déséquilibre qui donne des frissons et fait sourire, parce qu'au fond, on sait que tout cela n'est qu'un jeu. Et puis à quoi sert la vie si l'on considère que tout est déjà écrit d'avance ?

Je suis tombé amoureux d'un rêve qui est devenu de plus en plus réel à force de le faire jour après nuit.

Est-ce qu'un rêve que l'on vit est encore un rêve ?

Garde-t-il la même saveur ? Garde-t-il cet éclat d'étoile inaccessible ?

La vie de Naÿle a effleuré la mienne, légère et délicate comme un papillon. Pourtant, d'un simple battement d'ailes, Naÿle a ranimé la minuscule braise froide qui me servait d'âme. Et mon existence s'est embrasée jusqu'à devenir un incendie incontrôlable.

Un lundi anonyme et ordinaire. C'est probablement ce matin-là que tout a commencé...

J'aime bien ce genre d'introduction dans un bouquin. Ça fait tout de suite sérieux, dramatique, mystérieux, même. Immédiatement, le lecteur est suspendu aux points de suspension qui suivent ces quelques mots énigmatiques. Il s'attend à découvrir dans les prochaines lignes, ou à tout le moins d'ici la fin du chapitre, une première révélation qui le projettera vraiment dans le vif du sujet, une aventure à couper le souffle. Et même l'envie d'aller pisser, parfois.

Bon, il est vrai que, dans mon cas, cette journée n'a pas été particulièrement explosive, ni même très différente des autres. Mais pas besoin de dynamite pour faire dérailler un train qui s'engage sur un terrain déjà merdique et instable. Un seul grain de sable suffit. Quelque chose d'inattendu, de non prévu à l'agenda, une lettre, par exemple. Bref, il ne faut parfois qu'un souffle de vent pour changer la direction d'une tempête. Et ce jour-là, le destin a probablement soufflé plus qu'il n'aurait dû dans ma direction. À moins qu'il n'ait fait qu'éternuer, ce qui serait donc purement accidentel. Et tout aussi dégueulasse.

Bref, c'est probablement ce matin-là que tout a commencé...

Je dis cela aussi parce que les gens, en général, aiment bien qu'on leur indique un commencement, même arbitraire, comme s'ils ne pouvaient vivre sans les barrières et les repères du temps.

Ah ! Le temps ! Parlons-en... plus ça va et plus il file, comme s'il avait lui-même pris le pouls de notre planète en délire. Le cap des quarante ans est derrière moi (déjà !), et si la calvitie ne me guette pas encore, les cheveux gris livrent une guerre sans merci à ma crinière foncée. Le virus de la vieillesse est inoculé en nous dès la conception, histoire de tous nous mettre sur un pied d'égalité. Il commence sa lente mutation dès notre première inspiration. Pourtant, je n'ai pas à me plaindre puisque, paraît-il, je ne fais pas mon âge. Si l'âme est vieille et plutôt fatiguée, l'enveloppe semble tenir le coup. Pas d'embonpoint, une forme physique acceptable vue du haut de mes 1 m 80 et aucune maladie en vue sur les écrans radar.

Le temps, voilà l'ennemi. Il s'agit de « tuer » le temps, disait Joseph Delteil. Même si nous savons que le combat est perdu d'avance, la vie se trouve toujours devant.

Mais je m'égare...

Ainsi, donc, j'attendais mon autobus, comme tous les matins de semaine, pour me rendre au Collège Saint-Timothée, une boîte privée où j'enseigne le français depuis plusieurs années. La première semaine de juin prenait son envol sur un air d'été anticipé. Il était temps ! Le printemps avait été jusque-là tellement pourri. Conséquence inéluctable des changements climatiques ? Je ne sais pas. Toujours est-il que nous connaissons de plus en plus d'extrêmes :

ou Montréal devient une extension de la banquise et on se gèle les noix après avoir connu le déluge en plein mois de janvier, ou on suffoque au mois de mai comme des asthmatiques en panne de pompe. Funeste !

Mais je digresse encore. Ce n'est pas ma faute, c'est dans mes gênes, comme dirait le voleur pris la main dans le sac d'une petite vieille. Quand on est d'origine française avec des racines italiennes, les plis sont là depuis tellement de générations qu'il serait contre nature de vouloir résister.

Bref, ce petit matin était à peine teinté d'une fraîcheur nocturne résiduelle qui laissait entrevoir une chaude et belle journée.

Ça me fait penser à quelque chose d'autre, une dernière digression...

Quand j'étais gamin, de la fenêtre de ma petite chambre de notre petite maison, coincé dans notre petite vie de petite ville de banlieue parisienne, je regardais mon père s'en aller travailler en autobus. Mais moi, j'imaginais papa en route pour des aventures incroyables. L'autobus n'était qu'un vaisseau de guerre maquillé qui pouvait parcourir le monde en un rien de temps et dont les occupants étaient de redoutables guerriers pourfendeurs du mal et protecteurs des faibles. Et papa en faisait partie, comme un grand héros anonyme, même si, au fond, je savais très bien que cet autobus vert et blanc – un *Saviem*, je m'en souviens encore – faisait simplement la tournée de notre banlieue pour ramasser et conduire les ouvriers à l'usine.

Et que papa était tout sauf un héros.

Mais ça, c'est une autre histoire...

Ainsi – je sais, je me répète, comme l'histoire avec un grand H – c'est probablement ce matin-là que tout a commencé. Retourner plus loin dans le passé serait hasardeux, et de toute façon trop compliqué. Le passé est rarement simple, surtout quand il se conjugue à l'imparfait ! Et commencer plus près du présent serait comme prendre l'autobus en marche, si je peux m'exprimer ainsi.

Mon autobus arriva donc dans ce bruit caractéristique de portière mal graissée écrasant une chambre à air essoufflée.

Et c'est ainsi que je m'engouffrai dans ma journée.

Bon, on y est. Enfin !

Il faut croire que certaines images de l'enfance nous marquent plus que d'autres. Pour moi, prendre l'autobus, c'est entrer dans un rêve ; et prendre l'autobus à Montréal, c'est un peu comme prendre le monde. C'est faire un voyage sans quitter la ville, c'est se fondre dans un mélange de couleurs et de cultures, d'odeurs et de vécus. Pourtant, l'homme est devenu une espèce individualiste, aux antipodes de cet esprit grégaire qui l'animait il n'y a pas si longtemps encore. À preuve, la manière dont les sièges d'autobus ou de métro se remplissent « à l'unité ». C'est seulement lorsque les places se raréfient que l'on commence à faire du voisinage. Mais rapidement, on voit les oreilles se couvrir d'écouteurs, une autre façon de rester dans sa bulle et de ne partager qu'une proximité obligée.

Ceci dit, je m'installe sur une banquette seule. Il y a des matins où je n'ai pas envie de partager les parfums *Tristan Chior* et les haleines de *Maxell Chose*. Je suis à peine assis que l'autobus commence son chemin de croix. Moi aussi. Par la vitre d'une transparence douteuse, je regarde défiler des rubans de ville et de vies sous le soleil enfin revenu parmi nous.

Premier arrêt, 8e avenue. L'avantage des transports en commun, ou le désavantage, cela dépend du point de vue, c'est qu'ils permettent de gamberger en toute quiétude. Pour moi, c'est en toute inquiétude. Je ne peux m'empêcher de repenser à Corinne avec qui j'ai encore eu un différend hier soir, différend étant le mot poli pour engueulade, une tempête plus forte que les précédentes, d'ailleurs. Nous avons augmenté d'un cran notre ascension dans l'escalade des mots et des maux qui nous rongent. Corinne est la femme qui jouxte mon quotidien depuis des années. Sept ans, en fait. Je souris jaune en pensant que notre relation a atteint l'âge de raison. Georges dit que je me plains la bouche pleine.

– Ta Corinne embellit chaque jour ! Je suis sûr qu'à cinquante ans elle n'aura même pas une ride !

Georges, cher Georges, ne sais-tu pas que tout n'est qu'apparence ? Même la pelouse verte du voisin ? En ce moment, notre vie ressemble plus à un champ de blé après la moisson. Je vois peut-être mal, mais j'ai l'impression qu'il ne reste que du chaume jauni et cassé.

D'accord, c'est vrai qu'elle est belle, ma Corinne. À peine moins grande que moi, les dieux l'ont dotée d'un corps que l'âge semble avoir oublié dans sa destruction systématique. Ses yeux presque noirs lui donnent un regard volontaire qui peut intimider. Surtout avec ses cheveux bruns tellement foncés qu'ils ont parfois des reflets d'ébène. Quant à sa façon de marcher, de se tenir bien droite, qu'elle soit assise ou debout, tout cela donne à Corinne une allure fière et noble. Peut-être un peu rigide aussi, comme un arbre qui aurait peur des grands vents. Elle a d'ailleurs le port d'un *sakura* que les fleurs refuseraient de quitter.

Oui, elle est belle, ma Corinne. Et désirable. Mais désirable pour qui ? Je sens bien le regard des hommes se poser sur elle quand on marche dans la rue. Mais il n'y a pas que ça qui compte. Au fond, je ne sais plus quoi penser et je me sens mal et ballotté dans mes peut-être et mes pourquoi.

Je sors un bouquin que je fais semblant de lire.

Deuxième arrêt, 1re avenue. Cette vie me fait chier, des fois. Un homme et une femme, deux vies en symbiose ou en parallèle ? Il arrive pourtant que l'on pense enfin être arrivés à un équilibre, quelque chose qui a les allures d'une vie partagée où l'on ne ressemble pas aux rails d'une voie ferrée bien ancrés sur leur talus.

Troisième arrêt, Iberville. Pourquoi faut-il toujours que ça finisse par foirer ? Pourquoi n'est-il pas possible de continuer sur une lancée de bonne entente et d'un bonheur relatif ?

Quatrième arrêt, Louis-Hémon. Merde, merde et re-merde ! Je continue ma gamberge sans être capable de trouver mes réponses. Fabre. C'est mon arrêt. Je descends en gratifiant la conductrice d'un large sourire. Un peu forcé, d'accord, genre *Botox* fraîchement injecté. Mais ce n'est pas parce que je file grognon que je dois être désagréable avec les autres. Car ça, je suis capable. Il est vrai que c'est souvent plus facile d'être agréable avec les étrangers qu'avec ses proches. Mais bon...

L'autobus continue sa route dans un soupir de poussière et d'air chaud. Moi je pique plein sud jusqu'au Collège Saint-Timothée. Cette petite marche me fait du bien. Même si je passe par là cinq jours sur sept, quelque deux cents jours par année, j'aime encore regarder les façades des maisons et les parterres fleuris. Quand j'arrive à l'école, je me sens déjà mieux. Corinne s'évanouit doucement de mes pensées, vite remplacée par mes élèves et la journée que je m'apprête à ouvrir comme un paquet-cadeau.

Les autres profs trouvent ça étrange que je prenne l'autobus. Que voulez-vous, à Saint-Timothée, on est plutôt snobs, matérialistes et fiers de l'être ! Le stationnement a des airs de Salon de l'auto, surtout quand les parents viennent déposer ou chercher leur rejeton. Rutilance, luxe et aérodynamisme semblent se faire concurrence. L'environnement, la planète verte, tout ça c'est un problème de société, pas d'individus. Et puis c'est bon pour les travaux en classe. Bref, j'ai une auto, pourtant, mais je la laisse à Corinne qui devrait autrement se taper un trajet impensable en *métrautobus*. Victime de la décentralisation, les archives de la Bibliothèque nationale où elle travaille ont été catapultées à l'autre bout de l'est de la métropole. Mais ça, les autres profs ne le savent pas ; je ne leur ai pas dit. J'ai préféré les laisser sur l'impression que je suis un écolo pratiquant. Ce qui n'est pas tout à fait faux non plus. C'est d'ailleurs pour cette raison qu'ils m'appellent Lécolo plutôt que Locolo, de mon vrai nom. De toute façon, il n'y a que Georges qui se soit vraiment intéressé à mes origines. Plus de dix ans, déjà. Vient un âge où le temps semble trop fluide.

– Ça vient pas de Lombardie, ce nom-là ?

En guise de présentation et pour une première prise de contact, j'ai trouvé ça sympa. Et certainement plus civilisé que les sempiternels : « Locolo ? Vous devez pas être d'ici, vous ! » C'est le genre de réflexion qui me met mal à l'aise parce que je ne sais jamais si ce n'est pas une autre forme de xénophobie hypocrite. C'est comme se faire traiter de « maudit Français », avec une tape dans le dos, juste pour rire. Peu importe le sourire qui accompagne les mots, c'est l'intention qui blesse.

Bref, pour en revenir à Georges, il n'était pas loin de la vérité. Mes ancêtres étaient originaires d'un coin perdu d'Italie et ont émigré vers le nord. C'était au XIXe siècle, à quelques dizaines d'années près, et ils se sont arrêtés dans la partie sud de la France, quelque part en bordure des Cévennes, peut-être parce que ça leur rappelait un peu leur coin de pays. La génération suivante a remonté encore plus vers le nord, la grande ville, les usines, le travail, parce que la terre, vous savez, c'est pas un travail, c'est de l'esclavage !

– Je m'appelle Georges Lancier... pas Lancien !

Georges s'était mis à rire tout en me gratifiant d'un bon coup de coude dans les côtes. Son rire était grave et sonore, un rire mesurable à l'échelle de Richter. J'ai tout de suite remarqué les lèvres pincées et les yeux au ciel des autres profs. Et c'était suffisant pour me le rendre sympathique.

– Je suis prof d'histoire ici. Alors les noms, les origines et tout ça, c'est ma passion ! Mais vous n'avez pas d'accent.

Autre point en sa faveur : Georges me vouvoyait. Pratique un peu surannée de nos jours, mais qui me démontre illico le respect du bonhomme envers autrui. C'est laisser à l'autre le choix du tutoiement. Pas comme le chef de notre section syndicale qui est venu à moi comme un Attila en territoire conquis.

– Salut, moi c'est Robert, ton représentant syndical. Si t'as n'importe quel problème avec la direction, tu m'en parles. O.K., camarade ?

Non, j'ai aimé Georges à cause de sa différence évidente, de son non-conformisme latent. Lui, je l'ai laissé entrer dans ma bulle assez rapidement. Les autres, je les avais déjà repoussés aux frontières de mon enclos d'intimité. Pas d'antipathie, mais une réserve calculée.

Atterrissage d'urgence dans le présent. Mon enclos d'intimité vient de se faire bousculer alors que je franchis la porte d'entrée de l'école, ce qui m'extirpe complètement de mes pensées vagabondes.

– Bonjour, m'sieur. Fait beau, hein ?

– Bonjour, Lucien. Super ! Ça roule ce matin ?

Lucien n'a pas le temps de répondre. Il se fait gentiment bousculer par quelque charmant camarade de bonne famille qui l'envoie valser dans mon giron.

– Hé ! L'avorton ! La maternelle, c'est pas ici !

Le fils de bonne famille s'est déjà fondu dans la masse et je n'ai même pas pu réagir. Lucien se redresse, rouge de colère et de honte. Il hésite une fraction de seconde, juste le temps qu'une ombre fugace passe au fond de ses yeux. Qu'il a grands, et innocents, comme ceux d'un bébé qui aurait oublié de grandir de l'extérieur. Car Lucien aura bientôt quatorze ans, même s'il en paraît encore dix. Ses cheveux blonds et courts lui donnent l'air d'un chérubin perdu parmi les hommes à la suite d'une panne d'ailes au-dessus des enfers.

– Ça va, Lucien ?

– Pas pire...

Petit silence que je n'arrive pas à combler. Panne de mots. Habituellement, un ange serait passé pour agrémenter la lourdeur de cette pause involontaire. Mais c'est un angelot qui s'approche, timidement, et passe entre nous en faisant le moins de bruit possible, en s'excusant presque d'être la cause du tout petit silence qui flotte dans l'espace. La cloche sonne au même moment et l'angelot s'éclipse. Lucien voudrait bien en faire autant, mais il est bloqué avec moi dans l'entonnoir.

Lucien est un hyperactif sous contrôle, un étiqueté de l'ère moderne des technocrates de l'éducation : le syndrome de l'enfance qui déborde et gigote, associé au déficit de la vie bouillonnante et incontrôlée, ou quelque chose comme ça. Quel que soit le nom, ça fait « savant », mais ça dit peu sans rien expliquer ni régler. Mais je me force à croire que je peux faire une différence dans sa journée. Même s'il y a beaucoup d'autres « Lucien » dans ma classe et dans l'école, je me suis pris d'affection pour ce gosse dès que je l'ai vu. Je ne sais pas pourquoi. Certaines choses ne s'expliquent pas ; elles se vivent, c'est tout. J'aime à me dire que, quel que soit l'âge apparent, les âmes sœurs ou complices se reconnaissent au premier coup d'œil.

– Allez, Lucien, on va essayer de faire de notre mieux, hmm ?

J'ébouriffe ses cheveux, et à travers ses yeux tristes, Lucien m'affiche un sourire façon Joconde. La journée est belle, et bien commencée.

– Les hommes sont tous pareils, Corinne ! Ta mère t'a pas appris ça ?

Nous voilà parties dans les grandes philosophies de pause-café. Mireille vient de clamer haut et fort ce qui semble être une vérité millénaire et que je me refuse pourtant à assimiler. On a son orgueil, tout de même ! Si je suis avec un homme depuis plusieurs années, c'est qu'il est le bon ! Il faut dire que Mireille a un physique un peu ingrat, ce qui, selon moi, explique et justifie une certaine amertume, surtout envers la gent masculine.

– Tant que tu gardes une certaine fraîcheur, continue-t-elle sur le même ton, et que tu t'écartes au bon moment, si tu vois ce que je veux dire, tu fais l'affaire. Mais à la première ride, au premier mal de tête, c'est la voie de garage qui t'attend !

Je regarde Mireille comme si je venais de découvrir un Bouddha sorti du fin fond de nos Archives nationales, réincarné au féminin, mais défroqué et nettement dénaturé. L'âme zen a foutu le camp, seul le corps flasque et rebondi

demeure. Mireille pérore comme ces pseudo-intellectuels de gauche sortis de la cuisse d'un quelconque *baby boomer,* qui roulent en BM et qui noircissent les éditoriaux, polluent les ondes et les cerveaux. J'ai envie de lui envoyer une vacherie, mais je me retiens *in extremis*. Mireille a beau être ce qu'elle est, ce n'est pas à elle que j'en veux après tout.

– Mets pas tous les hommes dans le même panier, quand même !

– Dans le même panier de crabes, oui ! me renvoie aussi sec d'un ton tyrannique la Bouddha boudinée. Tu fais ce que tu veux, ma belle Corinne, mais si j'étais toi...

– Facile à dire quand t'as plus rien à perdre !

– Qu'est-ce que tu veux dire ?

– Laisse faire, je me comprends...

Façon de parler, bien entendu, car je ne me comprends pas du tout. « Ma belle Corinne... » Je ne me sens pas très belle ce matin. C'est souvent comme ça quand le remords vient jouer avec nos doutes. Quelque chose cloche avec Didier et je n'arrive pas à saisir quoi. De moins en moins, en fait. Et quand les événements dépassent mon entendement, je fulmine. Depuis quand notre vie déraille ? Dur à dire. Et pourquoi, au fait ? Encore plus nébuleux. C'est comme une tumeur qui s'est nichée entre nous et qui prend de plus en plus de place jour après jour. Et cette distance que je sens dans ses gestes et dans ses yeux. Comme si nos longueurs d'onde n'étaient plus ajustées et s'entrechoquaient dans un fracas d'étincelles chaque fois qu'elles se cherchent. Quant à la baise... Si j'avais eu dix ou quinze ans de moins, je n'aurais pas tergiversé très longtemps ! Mais après quarante ans...

C'est bizarre, j'en ai pris vraiment conscience hier soir. Une pensée qui m'est tombée dessus d'un coup, légère et subtile comme un pavé dans une mare au fond vaseux. Avant, je pensais que Didier et moi vivions une crise passagère et normale comme dans tout couple, « la crise des sept ans », genre. Pour moi, il n'y avait pas péril en la demeure. Alors je faisais l'indifférente et celle qui est au-dessus de tout ça. Ou, quand il le fallait, je lançais à Didier une bonne vacherie bien placée, histoire de montrer mes griffes et de lui donner tort. Mais dans le fond, peut-être que je me refusais à voir l'évidence aussi ? Quelques mots durs, une fois de plus, une fois de trop, des mots plus durs que d'habitude. Pour une bêtise, un argument stupide, ce qui cache probablement quelque chose de plus profond. Mais quoi ?

Une chose est sûre : Didier ne me comprend pas vraiment. Il dit qu'il essaie, mais m'a-t-il jamais comprise ? Pourquoi ne se met-il pas à ma place ? Juste une fois ? Je rage en pensant que les hommes sont malades d'un égoïsme incurable ! Se mettre à notre place ? Faites-moi rire ! Autant leur demander de nettoyer la cuvette des chiottes ou de changer le rouleau de papier hygiénique !

Mais d'un autre côté, c'est peut-être moi qui déraille et qui perçoit Didier en distorsion ? Coupable ou non coupable ?

Il faudra que j'en parle à ma psy...

– Non mais c'est vrai, continue Mireille sur sa lancée, tu vieillis pas, t'es belle comme un cœur... Au fait, t'as changé ta couleur de cheveux ? Non ?... Me semblait pourtant... Bref, en plus, t'es intelligente. Moi je te dis qu'il y a des hommes qui s'entretueraient pour toi. Ça fait que ton Didier...

Mireille fait un geste disgracieux tout en avalant une gorgée de sa tisane amaigrissante avant de plonger dans la lecture de *La semaine des stars.* Il faudra que je me décide à lui dire un jour que l'exercice aide aussi à maigrir... et que des lectures aussi débiles ont tendance à inverser le cours de l'évolution. Quand j'aurai plus de courage... Car si je rage en dedans, je suis rarement capable de l'exprimer vraiment. Sauf par des sarcasmes et autres dérisions faciles. Cette franchise me manque depuis toujours, j'en ai cruellement conscience. J'aimerais pouvoir dire les choses telles qu'elles sont, librement et sans désir de culpabiliser. L'héritage empoisonné d'une enfance surprotégée. Comme quoi l'extérieur n'est pas garant de l'intérieur.

C'est aussi bien que Mireille ait arrêté de parler, car les autres filles du service arrivent et se joignent à nous pour leur pause-café. Nos deux bureaux, à Mireille et moi, sont à l'écart et les filles aiment bien se retrouver dans notre coin pour les pauses. À propos de pause, dans un endroit où la gent féminine est majoritaire – seul le patron est du genre masculin –, les conversations ont souvent tendance à planer sans aller bien haut. Quand ce n'est pas pour casser du sucre sur le dos des conjoints, et des hommes en général, le département babillages ne manque jamais de sujets.

Bref, habituellement, je subis plus ces pauses que je n'y participe. Non mais qu'est-ce que je fous dans cet endroit ?

Si j'étais honnête avec mon moi profond et intègre, je m'avouerais sans ambages que j'ai toujours voulu faire chier mes parents, mais sans vraiment le montrer. Donc, aller à contre-courant de leurs idées, de leurs désirs, comme me voir faire une brillante carrière d'avocate, par exemple. Ainsi, je me suis subtilement employée à aller à l'envers de leurs rêves à mon endroit en choisissant mon avenir dans la lettre B plutôt que dans la lettre A. Oui, je l'avoue, ce fut aussi con que ça. Et je me suis soudain trouvé une passion pour le métier de bibliothécaire. D'accord, *bibliothécaire* ne suit pas immédiatement *avocate* dans la classification nationale des professions. Mais si je ne voulais pas choisir dans les A par pur esprit de contradiction, mon ambition n'allait tout de même pas jusqu'à devenir bactériologiste ou bambrocheuse !

Mais pourquoi n'ai-je pas choisi dans les C ou les M ? Tant que ce n'était pas A... J'aurais pu devenir caméraman ou médecin ! La réflexion est à l'adolescence ce que l'éjaculation précoce est au coït.

D'aussi loin que je me souvienne, j'ai trop souvent eu la cruelle sensation que je ne trouverais jamais ma place.

Depuis le temps que je travaille au Service des archives de la Bibliothèque nationale – un titre bien pompeux pour un bureau perdu aux antipodes du centre-ville ! –, je n'ai pas vraiment d'amies, que des collègues. Ma seule véritable amie est partie en congé sabbatique pour un an. Partie se perdre dans un tour du monde avant que le corps ne puisse plus suivre les désirs de l'âme. Francine m'envoie des courriels de temps à autre, quand elle trouve un endroit où les points cardinaux sont en contact. C'est-à-dire pas souvent. Dur d'avoir une conversation soutenue.

Je ne sais pas pourquoi, mais ce matin je n'ai pu m'empêcher de lâcher du lest dans l'oreille de Mireille. Il faut croire que ça devenait trop lourd entre les miennes. Oh ! rien qu'une remarque, comme ça, en passant. Rien de bien compromettant, au fond. Mais dans un monde de femmes, aucune remarque n'est anodine ! Bon, c'était plus une vacherie qui visait directement Didier, histoire de me défouler, de me faire du bien. Mais le fiel n'adoucit rien, et surtout pas la bouche qui le déverse. Et, bien évidemment, Mireille a réussi à m'en faire dire plus que je ne l'aurais voulu... Plus tout le reste qu'elle a déduit et inventé.

Mais pourquoi Mireille ? Logique et sentiments ne vont pas de pair... D'accord, son bureau est proche du mien. Mais elle a certainement quinze ans de plus que moi ! Elle ne fait pas de sport, que des régimes, ne lit que des revues à potins et son mariage est une prison dont les murs sont une belle maison, un chalet, un voyage par année, une retraite assurée... Je sais, c'est facile de mépriser les gens moches ou ordinaires. Ils représentent toujours des cibles faciles, des êtres qu'on imagine sans danger pour nous-mêmes et notre ego. Pourtant, au-delà du dédain instinctif que j'éprouve pour Mireille, ou plutôt ce qu'elle évoque, il y a un petit je-ne-sais-quoi en elle qui a éveillé ma sympathie dès le début. Ça ressemble à un genre de relation amour-haine mais en moins dramatique. Je sais, ce n'est peut-être pas très analytique, mais c'est comme ça. Et puis, c'est elle qui m'a entraînée à mon arrivée dans le service. Mireille était comme une mère poule, toujours prête à m'aider, à me défendre... Ça crée des liens.

Un peu à l'écart, les autres filles de l'équipe sont parties sur l'éternel et crucial débat qui oppose la banlieue et Montréal. « Être ou ne pas naître dans le 450 ? » Tout en parlant de sa petite voix haut perchée, Nadia, la *Rivesudoise*, ne cesse de replacer une mèche blonde et rebelle. Laurence, la pure et dure du centre-ville, la contredit à chaque idée émise. Charlette, notre stagiaire importée française, écoute d'un air détaché qui suinte le : « Moi je m'en fous, dans quelques mois je retourne dans le 18e ! » Et Claudine, l'ombre de la femme qu'elle essaie d'être, timide et réservée, enregistre chaque phrase, l'air de rien. J'en profite donc pour déverser encore un peu de mon trop-plein émotionnel dans l'oreille toujours grande ouverte de Mireille. Tant qu'à être lancée sur ce terrain !

– En fait, je suis sûre que Didier et moi on est trop pareils. C'est les opposés qui s'attirent, pas les semblables. Alors comment ça peut marcher ?

Je me surprends moi-même dans mes propos. Serait-ce ma vocation d'avocate (du diable) qui resurgirait ? Mireille me regarde à travers la brume de sa tisane, l'œil ouvert à une explication rationnelle.

– Il est aussi orgueilleux que je suis têtue.

– Et c'est maintenant que tu t'en rends compte ? lance Mireille avec une légère pointe d'acidité dans le ton.

– Moi au moins, je m'en rends compte ! C'est mieux que...

Je ne finis pas ma phrase. Tout compte fait, elle a raison. Même si Mireille prêche dans son désert ce qu'elle-même n'a jamais pu faire, elle a raison. Pourquoi ne voit-on pas plus vite les travers de l'autre ou les incompatibilités d'une vie à deux ? L'amour est-il aveugle à ce point ? Je propose la faiblesse, et la lâcheté, aussi. Qui appuie ?

– Ne commence pas à te diminuer, ajoute Mireille du ton sévère et sans appel de la mère protégeant son enfant. Tu vas finir par vouloir prendre le blâme. Et ça...

– J'essaie d'être lucide et sincère, sans plus. Et puis, pourquoi on ne pourrait pas reconnaître ses torts de temps en temps, hein ?

Je me fais une fois de plus l'avocate du diable (Encore ?! Mais aurais-je vraiment manqué ma vocation ?) et ça sonne presque sincère !

– Alors arrête ça tout de suite, sinon t'es fichue.

Là, je regarde Mireille d'un air dubitatif, pas sûre de voir où elle veut en venir. Mon air de psychologue attentif réveille la Denise Bombardier en elle (quel nom prédestiné, tout de même !).

– Depuis Cro-Magnon que c'est une lutte de pouvoir entre hommes et femmes, explose-t-elle le plus sérieusement du monde. Le féminisme ? L'égalitarisme ? Mon œil ! Gratte un peu, tu verras que rien n'a changé. À part l'hypocrisie. Une couche de plus à chaque courbette. La femme restera toujours un faire-valoir de l'homme.

Bang ! La sentence est tombée. Aux armes citoyennes ! Portez cuirasse et sabre au clair ! Sus à l'ennemi (la préposition est ici primordiale !). Elle m'énerve quand elle prend ces airs-là ! Non mais pour qui se prend-elle pour donner des conseils au nom de LA femme ? Est-ce qu'elle se regarde des fois dans le miroir ?

– C'est pas parce que ta vie est comme ça que c'est pareil pour tout le monde, rétorqué-je à Mireille avec intention de blesser. On a un peu évolué, quand même !

Mireille prend un air pincé et hausse les épaules.

– Hé ! C'est qui qui a un problème de couple ?! me lance-t-elle comme une flèche empoisonnée.

– Je veux dire... Et la communication, le partage ? balbutié-je dans une tentative de repli en me rendant compte que je suis allée trop loin. Avec toute ton expérience, tu n'as jamais essayé ?

– Foutaises ! lance soudain une voix derrière moi. N'avoue pas tes faiblesses, c'est stratégique.

Et merde ! Nos éclats de voix ont ameuté la troupe. Sans crier gare, Laurence s'est infiltrée dans ma confession. Lesbienne affirmée, un tantinet parano, elle ne porte pas les hommes dans son cœur et ne se prive d'ailleurs pas pour les crucifier à la première occasion. Les hétéros comme les homos. Mais moi non plus je ne porte pas Laurence dans mon cœur. Pas question qu'elle vienne mettre ses gros sabots dans ma vie privée !

– C'est vrai que t'en connais un rayon sur les hommes, toi ! dis-je sans même me retourner pour bien marquer mon mépris.

– Eh bien, moi je crois aux vertus du « ce qu'on ne sait pas ne fait pas de mal », réplique une petite voix aérienne que je reconnais comme étant celle de Nadia.

Là je me retourne aussi sec. Toutes les filles se sont approchées en douce. Règle numéro un de la survie au bureau : ne jamais laisser échapper une remarque un tant soit peu personnelle ; il y a toujours quelques oreilles ouvertes qui traînent ici et là, prêtes à relever le moindre soupçon de rumeur. Je le sens, dans cinq minutes c'est la thérapie de groupe !

« Bonjour, je m'appelle Corinne et je suis une malheureuse sporadique pathologique anonyme et non assumée. »

– Francis, par exemple, continue Nadia en sortant une lime à ongles pour arranger ses ongles déjà plus qu'impeccables, je suis sûre qu'il ne m'a jamais trompée. Mais au fond, je préfère penser ça et ne pas savoir la vérité.

– Le mieux, interrompt Charlette, c'est quand les deux ont l'esprit ouvert à 360 degrés.

– Ouvert comme tes jambes ! lance Mireille avec sa diplomatie habituelle. Vous, les Françaises, on sait bien !

Charlette est en stage chez nous pour un an. Échange culturel entre bibliothèques francophones. La trentaine délurée, toujours habillée comme si elle faisait la page couverture de *Belle Québec*, Charlette a déjà avoué, à mots presque couverts, certains penchants libidineux. Mais elle ne se démonte pas pour autant, au contraire. Elle en rajoute. Pour faire chier Mireille ou pour se mettre en valeur ? Certainement beaucoup des deux.

– La fidélité, c'est pas dans les gênes, heu... tout le monde sait ça, heu... La polygamie, c'est biologique et unisexe, quoi. Vous lisez pas *PsychoTop* ? Informez-vous, les filles, heu...

« Oui, et où y a de la gêne, y a pas de plaisir ! » pensé-je en moi-même. Remarque que je me garde bien de lancer dans l'arène. L'attention n'est plus sur moi. Ouf ! N'empêche que Charlette est l'archétype de la Française chiante au point de vous faire regretter votre dernière gastro. Et pourquoi toujours ajouter du « heu... » à la fin de chaque phrase ? C'est génétique ça aussi ? Mais Charlette suscite l'intérêt, c'est sûr. Et question intérêt, le sexe aura toujours une longueur d'avance.

– Tu veux dire que vous allez voir ailleurs chacun de votre côté ? interroge Nadia la bouche en cœur et les yeux en O majuscules.

– Mieux que ça ! s'exclame Charlette. On le fait ensemble.

Tous les regards se croisent et se décroisent. Gêne un tantinet palpable, malgré les rires. On a beau avoir l'ascendance française, on a tout de même écopé de la pruderie anglo-saxonne. Même Claudine, habituellement tranquille et réservée, ne peut s'empêcher de rire. Nerveusement, bien sûr.

– Vous êtes... heu, comment on dit donc ? bégaie Mireille soudain alarmée.

– Échangistes ! clame Laurence allumée.

– Ouahhh..., susurre Nadia, dépassée.

– Vous n'avez pas idée de ce que ça fait de se sentir désirée par tous ces hommes ! enchaîne Charlette les yeux pétillants et la lèvre humide.

– Satisfaire le mien une fois par semaine, c'est déjà bien assez ! laisse soudain échapper Claudine.

Tous les regards se tournent vers elle, feu croisé d'attention insoutenable pour la timide pathétique qu'elle est. La pauvre a pensé à voix haute et ne sait plus où se cacher. Laurence la regarde et s'amuse de la voir rougir comme un coup de soleil en accéléré.

– Une fois par semaine ? s'esclaffe-t-elle, histoire de rendre Claudine encore plus à l'aise. Méchante libido...

– Oh ! fous-lui la paix, toi ! me surprends-je à dire avec la délicatesse d'une tronçonneuse. Il n'y a pas que le cul dans la vie !

– Non mais attends, heu..., intervient la Parisienne, l'ouverture d'esprit, c'est pas une fracture du crâne, comme dirait l'autre, heu... Ariane Mouffette ?

– Moffatt...

– C'est ça, et tu seras fière de partager tes expériences avec tes enfants je suppose ?

– Corinne a raison, coupe Mireille avec humeur. Et puis qu'est-ce que tu veux qu'on fasse de toutes ces bites au garde-à-vous ?!

La remarque a claqué sec comme un pet sonore au beau milieu d'une minute de silence. Le silence qui s'installe, d'ailleurs, le temps d'un flottement, d'une inspiration. Par chance, aucun ange ne passait par là ; il en aurait pris pour son rhume et ses plumes ! Et puis soudain, tout le monde se met à rire en même temps. Les blagues de fesses, la communion universelle qui répare les égratignures au vernis social. Même chez les filles ? Surtout ! On a beau se dire les pires vacheries du monde, c'est toujours avec le sourire !

Une fois les dernières secousses laryngiennes exprimées, nous nous levons en chœur pour retourner à nos tâches respectives. Une fois de plus, nous avons dépassé le quart d'heure réglementaire. Depuis longtemps, les pauses-café se calculent en euros, ou en mesures impériales, et personne ne dit rien. Notre patron est, de toute façon, soit en réunion, soit au téléphone, soit avec sa secrétaire, une jeune fille dynamique qui sait mettre en valeur son sourire éblouissant (mais combien de dents a-t-elle enfin ?!) et sa féminité triomphante. Et personne ne pense ça par jalousie.

Je regarde les visages de mes collègues. Elles ont encore un sourire accroché aux lèvres, et les déclarations de l'une et l'autre bien enregistrées dans leur mémoire. Le vernis est intact à l'extérieur. À l'intérieur, les craquelures s'enchevêtrent en une trame complexe et indescriptible : affinités et animosités se mêlent et s'entremêlent. La vie de bureau, quoi !

Au fond, ma vie avec Didier n'est peut-être pas si désespérée que ça. Ni trop moche. Quand on se compare... Mais par quel bout la prendre pour recoller ce quotidien qui semble s'effriter un peu plus chaque jour ? Pourquoi un rien m'énerve chez Didier, comme si c'était lui le responsable de cette mauvaise passe qui semble s'éterniser ?

Et si le bonheur nous était calculé d'avance, comme une ration mesurée au gramme près, et que nous avions déjà tout dépensé ?

Ma classe était étonnamment calme ce matin. Je viens d'en faire la remarque à mon ami Georges avec qui je marche dans le couloir qui longe les salles de classe.

– Ou bien tes élèves ont veillé tard devant la télé ou l'ordi, ou bien il y a eu distribution gratuite d'amphétamines ce matin !

Le grand Georges rit tout seul de sa blague, et il rit dans sa barbe qu'il n'a probablement pas rasée depuis les années soixante-dix. Chaque fois que je le regarde, je ne peux m'empêcher d'imaginer toute une colonie de bestioles vivant en parfaite symbiose dans cette jungle rousse vaguement blanchie par les années. Prof d'histoire cultivé dans un corps de bûcheron du crétacé supérieur. La vie est drôlement faite, des fois.

– Quoi, tu ne penses pas qu'ils pourraient soudain s'intéresser à la langue française ? lancé-je avec un sourire de constipé chronique.

Georges pouffe en donnant du coude. Je regrette aussitôt mon cynisme. Comment j'étais, moi, à leur âge ? Adolescent rebelle et non conformiste, un tantinet caractériel, inattentif et indiscipliné, candidat idéal à tous les diagnostics. Grâce à Dieu, à cette époque, les gens n'avaient pas encore commencé à inventer toutes sortes de maladies pour excuser leur incapacité à résoudre les problèmes. C'est vrai, j'ai goûté à la trique, plus souvent que « nécessaire », mais je n'en suis pas mort. Comme dirait le Grand Sage de la non-violence : ce qui ne tue pas rend plus fort. Certainement pas l'idéal, d'accord, mais que dire du laisser-aller d'aujourd'hui qui transforme les enfants en monarques plus égocentriques que Narcisse lui-même ? Et cette manie de vouloir tout médicaliser, même l'incompétence !

– Il leur faudrait des neurones *boostés* aux OGM pour les faire changer, tu crois pas ?

Et vlan ! Autre coup de coude dans les côtes. Je grimace de douleur, mais Georges prend ça pour un sourire et il en remet. Mais une petite voix gazouillante interrompt soudain l'hilarité *géorgienne.*

– Bonjour, Didier. Il y avait une enveloppe dans ton casier et j'ai pris la liberté de la prendre en même temps que ma paperasse.

Je prends l'enveloppe que Lisette me tend avec son sourire de jouvencelle trentenaire et célibataire enjôleuse. Elle est gentille, Lisette, la secrétaire, un peu trop entreprenante, mais gentille. Je l'imagine parfois en train de s'éclater le samedi soir avec des copines hystériques dans un de ces endroits réservés aux femmes et où l'estrade est réservée à certains danseurs de type exotique et glabres. Ou bien dans l'un de ces bars-rencontre pour célibataires délaissés par Aphrodite et Cupidon. À moins qu'elle ne noie son spleen solitaire dans quelque soirée de cinéma-maison en tête à tête avec un bol de pop-corn ? Au fond, on ne connaît pas vraiment les gens que l'on côtoie au quotidien. Est-elle vraiment si seule qu'elle nous le laisse entendre ? Car Lisette n'est pas si mal, je veux dire de l'extérieur.

D'ailleurs, Georges la regarde s'éloigner sans dire un mot, l'œil appréciateur. Il a mis son organe vocal à *off*, mais l'ordinateur central fonctionne à toute vapeur pour enregistrer chacun des mouvements ondulatoires de la « personnalité » de Lisette. Je suis sûr qu'il a un secteur entier de son disque dur rempli de toutes sortes d'images fixes et en mouvement des fesses de Lisette, des seins de Lisette, de la taille de Lisette, des cuisses de Lisette, du sourire de Lisette, des petites culottes fleuries de Lisette (un jour de grand vent), des mamelons de Lisette (un jour de grand froid), du parfum de Lisette, du rire de Lisette... Et je mettrais ma main au feu qu'il doit y avoir dans l'esprit de Georges d'autres secteurs remplis d'autres « Lisette ».

– Comment va ta femme ?

C'est ma façon à moi de le ramener sur terre. Rien de méchant. Ironie des hommes de quarante ans qui tentent d'ignorer l'irrépressible rappel du temps qui passe (et qui nous les casse !).

– T'inquiète pas, Didier, je touche avec les yeux. Mais si un jour je deviens aveugle... tu sais comment ils regardent eux autres, hein !

Autres rires, autres coups de coude, autres bleus garantis dans mes côtes. Georges est con, dans le sens gentil du terme, mais je l'aime bien. Corinne m'a déjà dit que j'aimais Georges comme on aime un chien abandonné sous la pluie. Moi, j'appelle ça de la pitié, pas de l'affection. Ça doit être encore une idée de sa psy. Mais je ne ressens pas de pitié pour Georges, même si je sais que la plupart des autres professeurs ne l'aiment pas. C'est vrai que j'ai toujours été attiré par les laissés-pour-compte, les pas pareils, les parias et autres rejets des cercles conventionnels. Peut-être parce qu'ils ont justement des choses différentes à dire ou qu'ils sont l'antithèse du conformisme et de l'ennui.

La cloche sonne en même temps que j'ouvre l'enveloppe.

– Allez, salut, mon Didier. Faut que j'aille parler des Iroquois et des Jésuites à mes élèves, et la guerre est pas gagnée ! On se retrouve pour un biberon en fin de journée ?

J'opine en souriant. À force de me fréquenter, Georges a pris quelques-unes de mes expressions françaises librement importées. Aller téter une bière de temps en temps nous permet de casser la routine. Georges et moi, nous devons affronter les mêmes élèves, jour après jour. Pas facile, le métier de professeur ? Éduquer n'a jamais été facile, prof ou pas.

Mais bon Dieu ! C'est nous qui les avons fait ces gosses, non ?

– Une invitation pour quoi ? lance Corinne d'un ton cassant.

– Un séminaire d'écriture, à Québec.

« Roman, nouvelle et poésie. » C'était ça le contenu de l'enveloppe que Lisette m'a remise plus tôt aujourd'hui : une invitation à participer à un séminaire d'une fin de semaine dans la Vieille Capitale.

« Ludovic de La Selle, auteur québécois de renommée internationale, reconnu pour la polyvalence de sa plume, partagera avec vous quelques-uns des secrets de sa réussite littéraire. Ateliers en petits groupes, travaux commentés personnellement par l'auteur invité qui vous dévoilera alors quelques trucs et ficelles du métier. Une rencontre à ne pas manquer pour tout auteur en herbe ou déjà établi. Places limitées... Hâtez-vous. »

– Le style est un peu racoleur, non ? laisse tomber Corinne, comme elle laisserait tomber innocemment une bombe incendiaire dans une forêt de bois sec.

Je relis la dernière phrase. C'est vrai que ça fait un peu vendeur d'autos d'occasion. « Places limitées... » Ils écrivent ça et on se retrouve toujours dans une salle d'où débordent cinq cents « invités privilégiés ».

– Trois cent cinquante dollars ? C'est pas rien, tout de même ! continue Corinne sur le même ton constructif du spécialiste en explosifs en lisant par-dessus mon épaule.

– Une nuit à l'hôtel et matériel inclus. C'est pas si mal. Veux-tu venir ?

– Quoi ! Tu penses y aller ?

Son ton est franchement désagréable, méprisant et tranchant comme un coupe-chou fraîchement affûté. L'effet n'aurait pas été pire si je lui avais annoncé que j'allais passer la fin de semaine dans un camp de lépreux pestiférés. Mais je reste imperturbable.

– Pourquoi pas ? Il y a toujours du bon à retirer de ce genre d'atelier, non ?

– Mais qu'est-ce que tu veux en faire ? T'es prof, pas écrivain que je sache, aiguillonne Corinne avec un sourire à assassiner l'embryon d'une bonne intention.

– Pourquoi es-tu méchante ? Tu le sais que c'est un vieux rêve de pouvoir publier.

– Écoute, ça fait huit ans qu'on vit ensemble et je ne me souviens pas t'avoir vu écrire la moindre ligne. Alors...

Corinne ponctue son verdict d'un petit rire aux parfums de vitriol.

J'avais dit à Corinne que je rêvais d'écrire un roman. Et de la poésie, aussi. C'était au tout début de notre relation. Elle a certainement oublié.

– T'as oublié, c'est tout. Et ça fera huit ans dans huit mois et huit jours. Autrement dit, ça ne fait que sept ans révolus.

L'art de dévier le sujet pour reporter le tort sur l'interlocuteur.

Il n'empêche que c'est vrai ; j'écris, en secret. Elle ne peut donc pas savoir. J'ai déjà quelques poèmes et un roman en chantier. Enfin, quelques gribouillis et des idées qui virevoltent dans ma tête. Mais une fois de plus, je ne comprends pas sa soudaine mauvaise humeur. Une fois de plus, ses mots qui deviennent méchants, son cynisme et l'ascendant qu'elle essaie d'avoir sur moi. Un autre petit nœud à rajouter à la corde de notre union. Précaire et discordante. Ça ressemble de plus en plus à une corde de pendu !

Vlan ! La porte de notre chambre se ferme sur la colère difficilement contenue de Corinne et je peux ressentir une légère vibration dans la maison. Il n'y a rien à faire face à la colère, rien sinon attendre que le volcan refroidisse. J'essaie de faire le gars *cool* que rien ne touche, et ça fonctionne. Des fois.

En réalité, ça me fout les bleus et je me sens démuni. Face à cela, il y a deux options : être victime ou rendre victime.

– Tiens, si je me sirotais un petit verre de blanc bien frais, moi. Allez hop ! Rien de mieux pour rafraîchir l'atmosphère.

C'est drôle comment l'alcool peut parfois (trop souvent ?) être une bouée de sauvetage pratique et agréable, même si je ne me considère pas comme alcoolo. Un petit coup de *blues* ? Rien à faire de mes dix doigts ? Une bouffée de trac face à l'inconnu ? Et me voilà en train de caresser un verre aux formes rondes et sensuelles. J'inspire le bouquet de saveurs qui s'exhale du liquide que je choisis selon l'occasion, mais aussi la saison : un blanc bien frais pour nos chicanes de couple, surtout quand il fait chaud comme aujourd'hui, un petit rouge pour mes questions existentielles et le temps plus frais, un porto ou un Pinaud quand je veux avoir l'impression que le temps s'arrête, qu'il s'englue avec moi et mon mal de vivre, comme l'hiver ralentit la course de tout ce qui vit au-dehors.

J'ai l'impression que je vais devoir faire des réserves...

J'ouvre le frigo qui, en plus d'être démesurément trop grand pour deux, déborde de toutes sortes de victuailles, liquides et pots en tous genres, comme d'habitude. C'est à croire qu'on a toujours peur de manquer de quelque chose, sinon comment expliquer cette surabondance de bouffe ?

Le vin est beau dans son verre à pied. Il fleure bon la terre qui l'a porté alors qu'il n'était que fruit. La nature ne perd jamais ses racines ; l'Homme devrait peut-être l'imiter un peu plus ? Je regarde le liquide ambre s'attarder, éphémère, sur les parois du verre que je fais tourner d'un savant mouvement du poignet. Ne sommes-nous pas tous comme ça, à tourner en rond en essayant de nous accrocher à des rêves de cristal sur lesquels nos mains glissent, pièges de verre qui nous conduisent au fond, de toute façon ?

« Didier Locolo... 7935 Shaughnessy... Montréal... »

Le stylo roule sa bille silencieusement sur le formulaire d'inscription. Je m'applique comme un élève de première année. Je veux que mes lettres soient bien lisibles, que l'on sache que c'est bien de moi qu'il s'agit.

« Ci-joint mon chèque au montant de trois cent cinquante dollars... Frais de cinquante dollars en cas d'annulation... »

Pas d'inquiétude, j'y serai, contre vents et marées, ici représentés par Corinne, sa réticence évidente, sa mauvaise foi sous-jacente et sa mauvaise humeur décapante. Slurp ! Un coup de langue sur l'abominable colle de l'enveloppe-réponse. Paf ! un timbre autocollant qui porte vos vœux et pensées d'un océan à l'autre de notre grand « village ». Cinq minutes plus tard, je marche en me laissant lécher par la chaleur du soleil pourtant pas loin de son agonie vespérale. Décidément, l'été semble avoir investi d'un coup les quartiers du printemps. Québec, pays de contrastes...

La boîte à lettres est à deux pas, mais j'en rajoute et je prends tout mon temps pour rentrer. Malgré le silence de crise que je viens de laisser à la maison, je me sens soudain d'humeur guillerette, bourgeonnant comme un jeune premier. Qu'est-ce à dire ? Ma décision d'aller à cet atelier m'aurait-elle remis le moral en place ? Ou serait-ce que je commence à prendre plaisir à ces affrontements verbaux, histoire de mettre du piquant dans la vie ?

À moins que ce ne soit pour voir qui pliera le premier ? Mais de Corinne et moi, qui est le chêne et qui est le roseau ?

Être victime ou rendre victime...

Enfermée dans mon mutisme et dans ma chambre, je ne cesse de ressasser le dernier échange entre Didier et moi. Échange ?... Du grand art diplomatique ! Certainement de quoi noircir les pages du bloc-notes de ma thérapeute lors de ma prochaine visite...

Je vois une psy, une fois par semaine, depuis un bon bout de temps déjà. Peut-être un an, ou plus, même. Il m'arrive de perdre la notion du temps. Je voulais faire face à la crise des sept ans avant qu'elle ne vienne nous frapper de plein fouet. Érika, un copine à moi qui a fait une maîtrise en psycho, m'avait prévenue : beaucoup de couples ne passent même pas le cap des cinq ans. Pourtant, Didier et moi, on a survécu. Alors...

– Attends que ça fasse sept ans, m'avait dit une autre fois Érika.

Je ne sais pas pourquoi, je l'ai prise au sérieux. Mais est-ce que la crise que nous vivons Didier et moi est arrivée parce qu'Érika me l'a dit, parce que j'y ai cru ou parce que c'est écrit comme ça dans les étoiles ? Quoi qu'il en soit, j'ai beau m'étriper l'âme et creuser dans mes sentiments, j'arrive de moins en moins à contrôler et à comprendre mon agressivité qui bout en dedans et finit par sortir comme des jets de vapeur brûlante. Même pas capable d'exploser vraiment. Et je me brûle moi-même !

– Si tu veux jeter ton argent par les fenêtres !... m'avait lancé Didier avec une pointe de dédain.

Parce que c'est moi qui paie, évidemment. Môssieur peut dépenser cent cinquante dollars pour une bouteille de vin, mais pas question de sortir un sou pour tâcher d'y voir plus clair dans sa vie ! Communiquer ? Sortir ses tripes pour faire le ménage ? Hé ! minute ! l'évolution n'en est pas encore rendue là pour l'espèce mâle et dominante ! Quels sont les trois vœux qu'un homme voudrait voir exaucés par un génie ? Le sexe, l'argent et le pouvoir. Quelles seraient les réponses d'une femme ? Bon, passons.

Bref, pour Didier – c'est plutôt sa bonne excuse –, les gens tiennent trop à leurs problèmes pour vouloir vraiment s'en débarrasser. Ils font semblant de chercher, ou peut-être cherchent-ils vraiment, mais ce qui est sûr, c'est qu'ils aiment en parler ! Moi, ce n'est pas ça. Je veux vraiment voir clair en moi. Je ne sais pas si c'est l'âge, mais plus ça va et plus j'ai des doutes. Sur moi, sur Didier, sur la vie, sur tout. C'est comme un virus qui commence à vivre en moi sans que je sache vraiment d'où il vient. Était-il là depuis toujours ou l'ai-je attrapé accidentellement ?

À l'approche de mes quarante ans, j'avais posé une question à Didier.

– Voudrais-tu un enfant de moi ?

Question cruciale s'il en est une, surtout pour une femme dont le corps ne sera bientôt plus capable de se reproduire. Limite.

Question d'autant plus cruciale qu'elle semblait d'ailleurs avoir plongé Didier dans un état catatonique. La progéniture, un sujet épineux pour la plupart des hommes. C'est rarement eux qui proposent de faire le grand pas dans cet autre âge adulte.

– Mais de quoi tu parles, Corinne ?

– Eh bien, d'un enfant. Tu sais, ça commence par deux cellules qui se rencontrent et fusionnent...

– ... Déconne pas, tu es sérieuse ?

– Et pourquoi pas. Ça te fait peur ?

Didier avait pris quelques très longues secondes de réflexion.

– Heu... Je ne sais pas si je suis prêt... Et puis, il faut avoir une haute estime de soi pour se reproduire, non ?

Tentative boiteuse de fuite ou question humainement pertinente ? Selon moi, on peut ne pas aimer ce que l'on est, mais on peut aimer ce qu'on pourrait être ou devenir. C'est ça, l'espoir, non ?

– Et puis quel avenir on est en train de leur préparer à tous ces gosses ? C'est même pas sûr qu'on aura encore une planète viable dans cinquante ans !

Les arguments de Didier avaient de quoi faire réfléchir, d'accord, mais en même temps j'avais senti une sorte de peur non assumée. Même si ma question était alors plus un test qu'autre chose, je savais bien qu'un jour il me faudrait prendre une vraie décision. Sur cette question et sur d'autres tout aussi cruciales. Et si je ne pouvais avoir d'enfant avec Didier, quelles étaient les alternatives ? Effacer cette possibilité de ma vie ou effacer Didier ?

Au fond, c'est peut-être à cette occasion que j'avais commencé à avoir des doutes, non seulement sur notre couple, mais sur ma vie en général.

Ces doutes ne m'ont jamais abandonnée depuis. Au contraire, ils ont mué, se sont mutés pour devenir la joyeuse confusion dans laquelle je baigne en ce moment. Mais peut-être qu'il y a autre chose aussi ?...

Et puis zut ! Qu'il aille à Québec ou à Tombouctou ! Après tout, je m'en balance ! Il y a des sujets autrement plus importants sur lesquels méditer en ce moment !

Soirée morne et sans intérêt. Corinne ne me boude plus, elle m'évite. Mais d'une façon subtile, en douceur, l'air de rien. Commentaires vides et insipides sur l'émission de télé que nous faisons semblant de regarder. Papotages anodins sur des histoires de bureau, sur les gens insupportables qui se pressent dans les autobus. Émerveillement forcé au sujet d'un beau petit chemisier que Corinne a vu dans une vitrine...

Est-ce que je vaux mieux qu'elle ? Je fais semblant de l'écouter en faisant des « hmm » et des oui-oui avec la tête, en lui sortant moi-même des banalités d'une platitude aussi rectiligne que les Grandes Prairies. Nous sauvons les meubles pour éviter l'affrontement. À moins que Corinne ne pense que j'ai changé d'idée pour Québec devant son opposition ouverte ? Hmm ! j'en doute. Je ne lui ai pas dit que j'avais déjà posté mon formulaire d'inscription. De toute façon, je ne céderai pas. Un jeu, ça se joue à deux !

C'est elle qui va se coucher la première. Elle dormira lorsque je viendrai la rejoindre. Au moins, ça règle la question : « Baiser ou ne pas baiser ? » Pas besoin d'échappatoire ou de bonnes excuses. De toute façon, ce n'est pas une question qui se pose vraiment quand on boude. Et puis, il est tard et demain on travaille tous les deux...

Le lendemain matin neuf heures. Je sirote mon premier café sur notre terrasse et sous un soleil timide mais prometteur. J'avais oublié que je n'avais pas de cours avant l'après-midi. Ça sent la fin d'année scolaire. Les révisions, examens et tests de toutes sortes chamboulent les horaires. Tant mieux ! Je peux profiter de ma terrasse, encore timidement fleurie, pendant que toute la ville s'agite à mes pieds. J'aime bien les figures de style car, en réalité, notre petite rue est bien tranquille et je n'entends qu'une vague rumeur plus ou moins lointaine selon le vent. Agitation quotidienne qui m'est pourtant totalement étrangère aujourd'hui.

Je n'ai même pas entendu Corinne partir ce matin. Ce n'est pas bon signe. Il n'y a pas si longtemps encore, elle me réveillait rien que pour me souhaiter bonne journée. Il faut dire que je me suis endormi tard, mal à l'aise dans mes pensées, et surtout dans le sofa. Quand j'y réfléchis, là sur ma terrasse, seul avec moi-même, j'aimerais pouvoir lui dire que je l'aime encore. Pourtant, dans les faits, j'en suis incapable. Agir en pensée, c'est une chose ; on pourrait gravir l'Everest ou refaire le monde comme ça. Mais agir selon nos pensées, c'est une autre affaire ! Au fond, je ne sais pas si c'est mon orgueil qui est le plus fort ou si, tout simplement, je doute de cet amour.

Après ma phase de quiétude de la veille, me voilà de nouveau plongé dans une réflexion mélancolique. Et je n'y peux rien. S'il fallait que je dise ça à Corinne, elle m'enverrait *manu militari* chez sa psy, ou pire, chez son toubib (nous n'avons pas le même) pour qu'il me prescrive ses pilules à niveler les émotions.

Peut-être pour me consoler, ou pour me jeter un peu de poudre aux yeux, je me dis que la vie n'est qu'un perpétuel mouvement ondulatoire qu'il faut savoir apprivoiser au gré des saisons du cœur. Un peu comme la mer et ses marées, le flux et le reflux de ma vie n'est qu'un phénomène normal contre lequel je ne peux rien. Pourtant, ce matin, j'ai peur. J'ai peur que le mouvement cesse et que les petites vaguelettes qui animent encore notre vie de couple ne finissent par se tarir dans les sables mouvants du quotidien. Aussi désinvolte que je veuille paraître, imaginer la cassure me fait mal. Et peur.

Regarde autour de toi
Les signes qu'il t'envoie
Il est là, sur le seuil
Le bonheur te fait de l'œil

Je ne peux m'empêcher de capter les paroles de la chanson qui passe à la radio. On dirait que France D'Amour choisit le bon moment pour me sortir de ma torpeur !

– C'est vrai, ça ! Reprends-toi, Didier, Bon Dieu ! Regarde autour de toi, la vie peut être belle, non ?

Depuis un certain temps, j'ai pris l'habitude de me parler tout haut. Ça me fait du bien. On dirait que ça me force à sortir de ma tête et de toutes ces pensées envahissantes. Alors je regarde autour de moi, et c'est vrai que la vie n'est pas si moche.

Même si elle n'est pas bien grande, notre terrasse est un havre de paix, notre coin de Provence, comme on aime à dire. Il y a des fleurs, beaucoup de fleurs en devenir, qui commencent d'ailleurs à s'épanouir dans des pots en terre cuite de toutes sortes : des grands, des moyens, des rouges lisses, des ocres décorés, des jaunes vernissés, et des autres aux couleurs bigarrées. Quant il fait chaud, les soirs d'été, et que les grillons, les cigales et toutes les bestioles du même acabit se mettent à chanter en parfaite anarchie l'hymne à la vie, alors on a juste à fermer les yeux pour voyager dans des pays aux accents colorés.

Ça me rappelle d'ailleurs une fois où Corinne et moi avions fait l'amour sur la terrasse, à la brunante un soir d'été, cachés sous la table, plus ou moins à l'abri des regards indiscrets qui nous épiaient peut-être... Bon Dieu, quelle rigolade ! Pourquoi faut-il que de tels moments ne durent pas ?

Je me secoue pour éloigner ces vestiges de bonheur qui ne font que rendre le présent plus cruel. Alors je regarde mes fleurs qui savourent le soleil en silence. Elles en ont bavé et en baveront encore; pourtant, elles ne sont pas mortes.

C'est fascinant de voir comment la vie vit. Ça frôle le pléonasme, mais c'est tellement vrai. Coupez une tige à une plante, et aussitôt c'est le branle-bas de combat pour créer un nouveau bourgeon. C'est toute la plante qui se mobilise pour assurer une succession à la tige occise. C'est une bonne leçon pour nous, humains des temps modernes, qui sommes tellement doués pour nous appesantir si longuement et si lourdement sur nos malheurs présents, passés et ceux même pas encore arrivés !

Corinne s'échappe, je le sens. Elle m'échappe, et avec elle c'est toute ma vie qui me glisse entre les doigts, comme un beau château de sable fond sous la sécheresse du vent. À moins que ce ne soit moi qui glisse sur la corde raide et visqueuse de l'indifférence ? Quoi qu'il en soit, je laisse aller, impuissant, comme si j'étais devenu le spectateur amorphe d'une comédie dramatique en pleine écriture. Mais je devrais dire que c'est notre couple qui s'étiole et s'effiloche. Je repense à ma théorie du flux et du reflux de la vie, et je me demande si ce n'est pas une loi de la nature que deux personnes qui se sont si bien connues redeviennent des étrangers, comme au début, comme le corps naît du néant retourne au néant. Si le temps érode les montagnes, n'est-il pas normal qu'il en soit ainsi des sentiments ? L'habitude entraîne la cécité. Regardez fixement un objet et vous finirez par ne plus le voir. Même chose quand on côtoie le même environnement et les mêmes gens depuis longtemps.

– Mais quels beaux paysages vous avez là ! dit le touriste à l'indigène. Et quelles montagnes ! Savez-vous que vous êtes veinards de vivre ici ?

– Paysages ? Quels paysages ? Quelles montagnes ? répond l'indigène incrédule.

Jour après jour, Corinne continue d'aller et venir dans la maison et dans ma vie, mais elle est de plus en plus lointaine, je le sens. Tout comme moi, d'ailleurs. Mais qui est responsable de l'espace qui nous sépare ? Au fond, c'est peut-être l'habitude qui nous tient, comme un mortier soude les moellons d'un mur. Et même s'il s'effrite et se désagrège un peu plus chaque jour, le mortier tiendra le coup jusqu'au bout... ou jusqu'à ce que le mur ne s'effondre de lui-même pour cause de vieillesse avancée de l'édifice tout entier. On ne se demande jamais jusqu'à quand va durer une nouvelle relation qui commence. La question ne se pose même pas. Jusqu'au jour où... De toute façon, je ne supporte pas l'échec.

– Elle a peut-être un amant ?

Ça fait dix fois, cent fois et plus encore que je me répète cette hypothèse stupide. Au début, c'était une vraie question, légitime et bien posée. Sinon, comment expliquer son attitude hautaine et blessante ? Ensuite, c'est devenu comme un jeu. Malsain ? Masochiste ? Peut-être. Toujours est-il que je me répétais les mêmes mots, rien que pour voir, pour me tester, pour me mettre dans le sentiment réel et tangible d'une vérité somme toute virtuelle.

À bien y penser, ce n'est ni malsain ni masochiste. C'est plutôt le désir d'expérimenter une possibilité, de tenter de faire connaissance avec un possible futur. Mais après mille et une répétitions de la même éventualité, cela devient presque une réalité, une réalité imposée, créée, et ça finit par ne plus faire mal, comme si l'usure des mots insensibilisait la signification. C'est tout à fait égoïste de ma part, une façon de me protéger, et si la chose s'avère vraie, un jour, je suis sûr que ce ne sera même pas douloureux. Ou si peu. Peut-être un léger frisson dans la colonne vertébrale, une pointe de stupeur. Mais pas cette soudaine angoisse qui vous noue la gorge au point d'être douloureux ; pas cette indicible glaciation du cerveau et des sens. Affronter l'avenir, c'est le créer, même si le scénario est des plus pessimistes.

Tout compte fait, je me demande si notre couple a jamais dépassé le stade de la solitude partagée, deux routes en parallèle, deux existences qui longent les mêmes paysages sans pour autant voir les mêmes choses. Peut-être après tout ne sommes-nous restés ensemble que par une attirance physique qui a fini par perdre tout naturellement son magnétisme ? J'exècre ces théories de psy qui tendent à tout cataloguer, étiqueter, à nous indiquer des « vérités » inéluctables, n'empêche que la passion est bel et bien une étape éphémère dans la vie d'un couple. Ensuite, c'est autre chose qui soude les êtres. Mais si Corinne n'est pas la femme de ma vie, que fait-elle à mes côtés ? Où et qui est mon âme sœur ? Question réciproque, au demeurant.

Au fond, si tout cela n'était que du cinéma ? Un grand cirque ? Une histoire inventée, montée de toutes pièces, parce qu'il faut bien passer le temps d'une vie sur notre bout de planète. Et si la vie de couple n'était qu'un arbitraire imposé par une nécessité biologique, parce qu'il faut bien perpétuer l'espèce ? Après tout, les scientifiques n'essaient-ils pas de nous faire croire que tout cela n'est qu'une question de fluides et de chimie du cerveau ? Quand j'y pense sérieusement, quelle poésie, quand même ! Quel romantisme ! Je plains les « cerveaux » qui sont mari et femme.

– Chéri, comment sont tes phéromones ce soir ? Moi j'ai la progestérone au tapis.

Fuck les préliminaires, les fluides se mettent au travail. Mécanique et prévisible, très scientifique, quoi !

Mais non, tout cela n'est qu'une connerie de plus inventée par les masturbateurs d'éprouvettes et de tubes à essai. Car si l'amour n'est que mécanique cérébrale, que signifie alors ce trouble délicieux que l'on ressent, un jour, face à une inconnue, et tous ces sentiments qui nous assaillent et nous bouleversent alors ? Les ondes porteuses d'amour précèdent et provoquent les fluides, non l'inverse.

Bon, voilà que je mène un débat philosophique en soliloque ! Décidément, l'oisiveté ne me réussit pas ! Dès que je suis assis seul à ne rien faire, je gamberge à n'en plus finir.

J'avale d'un trait ma dernière gorgée de café, froid, et je me décide à délaisser mon petit coin de Provence. Une bonne promenade me fera certainement le plus grand bien !

Quand nous ne sommes pas ensemble, moi à la bibliothèque, lui à l'école, par exemple, je ne peux m'empêcher de regretter mon attitude envers Didier. Même si je sais qu'il a certainement ses torts, je me sens coupable et stupide d'agir comme j'agis avec lui. Je m'en veux et me trouve intolérante, méchante, même. Comme lorsque je prenais conscience d'avoir fait de la peine à mes parents. Mais, bien sûr, même si je ne peux empêcher ces sentiments d'émerger, tout cela reste bien secret dans mes retranchements. Je commence à peine à en parler à ma psy. C'est tout dire.

– Attends un peu la quarantaine, tu verras ! m'a dit un jour Mireille.

Ce n'est pas tout à fait faux. J'ai l'impression de ne plus être la même depuis que j'ai changé de dizaine. Hier soir, par exemple, il me semble que j'étais bien disposée, comme si j'avais pris de bonnes résolutions. Au fond, je ne souhaitais qu'une chose : passer une soirée agréable avec Didier, remettre l'affection, la tendresse et la communication à l'ordre du jour. Eh bien, non ! Quand Didier est arrivé avec cette histoire d'atelier d'écriture à Québec, toutes mes bonnes intentions sont devenues promesses d'alcoolique. C'était plus fort que moi, comme si une autre entité s'était emparée de moi pour prendre le relais et le descendre en flamme ! Je redeviens la Corinne blessante et détestable. Incontrôlable.

Ma psy m'a déjà dit de ne pas trop m'en faire avec ça, que c'était là la nature de l'être humain : un mélange de bien et de mal. Sans compter l'âge et les phases normales de la vie en couple. On ne peut rien y faire, sinon apprendre à travailler nos émotions pour tenter de les contrôler, accepter ce qui ne peut être changé et s'efforcer d'ouvrir un dialogue constructif. Facile à dire ! J'aimerais bien être une souris pour la voir au naturel, elle !

C'est vrai que Didier m'a déstabilisée avec son histoire d'écrire un livre. Le genre de déclaration à laquelle on ne s'attend pas. J'imagine que c'est la peur de l'inconnu, la crainte de voir celui qu'on a choisi devenir une autre personne, quelqu'un qu'on ne reconnaîtrait plus ou qu'on ne pourrait plus suivre. La peur de ne plus être à la hauteur, sur la même longueur d'onde ? Je ne sais pas. Je ne sais plus. Plus j'essaie de me comprendre et plus le ciel devient bas. Mais peut-être aussi sont-ce mes hormones qui perdent le nord et se télescopent ? J'ai lu quelque part que ça pouvait commencer jeune ces histoires de « femmes mûres ». Si c'est le cas, je n'ai plus qu'à laisser aller et demander conseil à Mireille !

Pour l'instant, je veux croire que j'ai encore un quelconque pouvoir de compréhension pour changer ce que je suis. Vrai ou pas, il me semble que c'est plus réconfortant que le discours scientifique de la génétique et des hormones !

– Pourquoi réveiller le chat qui dort ? m'avait dit ma psy à notre première rencontre. Ce qu'on ne sait pas ne fait pas mal ; alors pourquoi réveiller les souvenirs endormis ?

Il me semblait qu'une thérapie ça servait à ça, non ? Aussi bizarre et incongru que cela puisse paraître, elle m'a vraiment dit ça. Elle, une psy. Mais peut-être aussi qu'elle essayait de me tester, de voir jusqu'où j'étais prête à aller ? Tout bien considéré, elle avait peut-être raison ; quand on remue la merde, ça pue ! De toute façon, il est trop tard. C'est un magma d'émotions qui se réveillent en moi depuis quelque temps, une horde barbare et incontrôlable. Et thérapie ou pas, plus ça va et plus je me rends compte que la vie elle-même se charge de réveiller nos vieux souvenirs endormis. Alors ils se fondent dans le présent pour tout mélanger, les visages et les lieux, les odeurs et les mots, les morts et les vivants, les histoires et la réalité.

Une larme vient chatouiller mes pensées, juste assez pour me piquer les yeux. Ah non ! Pas ici ! Alors je m'empresse de couper les vannes, de refouler le débordement au plus intime de mon moi profond. Je suis en train d'apprendre à contrôler les divers aspects de mon « sexe faible » en toutes occasions. Pas toujours avec succès, mais quand il le faut... Et puis, je ne suis pas toute seule dans ma chambre, après tout.

– Corinne, c'est la pause.

Je sursaute même si la voix est familière. Je réponds à Mireille par un sourire forcé.

– Une minute, j'arrive. Un truc urgent à finir.

Si j'avais été sincère, je lui aurais répondu que je devais entrer en moi pour aller régler une urgence de type émotionnel, solidifier mes fondations tremblantes... Oubliez-moi ce matin.

Je tente de me concentrer sur l'écran de mon ordinateur dont la mémoire est si obéissante, aux antipodes de notre mémoire humaine, individuelle et collective – *delete* et bye-bye les fichiers douteux et non désirés, les erreurs et les virus encombrants. On efface tout et on reformate. Repartir à neuf. Et pourquoi pas ?

Des fois je voudrais croire que je suis maître de ma destinée...

Pour le moment, je vais vivre avec la mienne, ma destinée. De toute façon, je suis en retard pour la recherche que je dois terminer ce matin. Alors au boulot ! Et puis ne dit-on pas que le travail est thérapeutique ?

Et tant pis pour la pause-café ! Les filles babilleront sans moi.

J'ai beau parcourir mon quartier dans tous les sens à la recherche d'une quiétude illusoire, je n'arrive pas à semer ces pensées qui m'obsèdent. Et plus j'essaie, moins j'arrive à m'enlever Corinne de la tête, comme si les images et les sentiments s'imposaient à moi d'eux-mêmes afin que je les regarde jusqu'à ce que le problème s'évanouisse.

Quand j'ai connu Corinne, je sortais d'une relation difficile avec une autre femme, relation qui s'était terminée en queue de poisson pris dans un ouragan de force cinq. Mais il semble bien que je sois incapable de vivre seul, comme s'il me fallait absolument combler les vides de ma vie. Toujours est-il que Corinne a traversé mon champ de vision et que son image s'est attardée dans ma pensée. Elle avait une allure désinvolte qui ne pouvait qu'accrocher ma curiosité, surtout dans une église.

– Excusez-moi, ça s'appelle comment ici ?

– Je ne sais pas. C'est l'église du quartier.

Après s'être promenée partout dans le sanctuaire muet, elle était venue s'asseoir à côté de moi, même s'il y avait environ cent quatre-vingt-sept autres bancs parfaitement vides tout autour.

– Je vous dérange dans vos prières, peut-être ?

– Non, je ne suis pas ici pour faire des prières.

– Faire le plein, alors ?

– Non, plutôt le vide.

– Je comprends. Moi aussi, ça me fait du bien. C'est tellement paisible, une église.

Et puis nous avons arrêté de parler, car un bedeau venait de faire son entrée et nous observait d'un regard oblique. Tout de suite je me suis senti un étranger, alors que j'étais si bien la seconde d'avant. Il ne faut pas sous-estimer la valeur et la puissance d'un regard : ça peut détruire autant que l'inverse. Je me suis levé.

– Excusez-moi, il faut que je parte.

– Vous venez souvent ici ? J'aime bien partager un peu de silence avec quelqu'un d'autre.

Je me souviens de l'avoir regardée longuement, sans rien dire. En réalité, cela n'avait duré que quelques secondes, mais c'est cette impression d'éternité qui m'est restée. Et cet échange de regards m'avait réconcilié avec les regards qui font mal.

– La mamelle est de retour !

– Quoi ?

– La mamelle est de retour !

Georges vient de faire irruption dans la salle des profs avec sa discrétion d'imitation de ballerine de *Casse-noisettes* façon *gumboots*. L'éclair lubrique que je décèle instantanément dans son œil me renseigne immédiatement sur la nature de son excitation. C'est cyclique chez Georges. Incontrôlable, aussi. L'homme devenant loup-garou à la pleine lune, vampire dans une nuit d'encre, Mister Hyde éradiquant le Docteur Jekyll.

– Ta vache a mis bas ? répliqué-je avec une ombre d'ironie.

Mais Georges est imperturbable, et même un bain d'azote liquide ne viendrait pas à bout de l'ébullition qui le secoue. Ce n'est pas d'hier, mais cela va de mal en pis. Sans jeu de mots. Certains sont plus affectés que d'autres, comme Georges. Moi, c'est l'inverse. Alors je tempère l'intempérant. Du moins je tente.

– Et vive les beaux jours ! On a tout de même de belles femmes à Montréal, non ? Tu trouves pas que ça bourgeonne avec l'été ces affaires-là ?

Georges fait une mimique suggestive avec ses mains.

– Au printemps, les bourgeons. Ça bourgeonne au printemps !

– Oh ! t'es con !

– Con à la tête froide.

– Arrête, Didier, et décoince un peu, comme tu dis !

– Tu ne peux pas penser à autre chose ?

– C'est pas ma faute, c'est mes hormones ! J'ai tellement la trique en ce moment que j'ai besoin de me soulager à tout bout de champ !

Georges est pathétique. Prisonnier d'un corps que le passage de la quarantaine entraîne dans une libido débridée, inextinguible.

– Ne me dis pas que c'est pas pareil pour toi !

Je n'ai pas envie de répondre à ça. Bien sûr que je me sens un peu à l'envers, physiquement et mentalement, mais de façon plus subtile, plus civilisée, si j'ose dire. Et puis j'ai d'autres tracas en ce moment. Mais Georges prend mon silence pour un aveu tacite. Il éponge son front dégoulinant avec le revers de sa chemise couleur incertaine. Il sue de partout, mon Georges : du front, des aisselles... Bon. J'ai chaud, moi aussi, dans tous les sens du terme, mais je sens le besoin de me dissocier de lui et de sa ferveur bestiale.

– Et puis on dit des seins, ou la poitrine. C'est plus juste, et plus beau aussi.

Il me fixe d'un air vaguement absent, comme si ses facultés mentales n'avaient pas encore rejoint ma pensée.

– Mamelle, c'est bon pour les vaches, les chèvres..., les animaux, quoi. On a beau être des mammifères, on est un peu plus que ça, non ?

Sa physionomie bovine se transforme doucement en Neandertal. C'est déjà mieux.

– Qu'est-ce que tu peux être con, toi ! Dis-moi pas que t'as jamais pensé coucher avec une autre que Corinne !

Je tressaille sans le vouloir, comme si le nom de Corinne était devenu une zone hypersensible de mon ego. Mais, une fois de plus, je n'ai pas envie de répondre. Disons que c'est le genre de détail que je ne veux pas partager avec Georges en ce moment précis.

– J'ai des fantasmes, comme la plupart du monde, j'imagine. Mais tu vois, Georges, je ne déteste pas l'idée de cultiver mon jardin secret tout seul. Surtout en public.

Le petit clin d'œil que je lui fais est un discret rappel à l'ordre. Nous ne sommes pas seuls dans la salle des profs. Mais c'est aussi une invitation à l'autocritique, même si j'ai le sentiment que le seul auto-examen auquel Georges s'adonne soit celui de ses testicules. Ce qui est tout de même bon pour prévenir le cancer...

– Pourquoi ai-je l'impression que nos conversations ont presque toujours le sexe pour sujet en ce moment ?

Georges hausse les épaules. Il est vexé, assurément. Il prend quelques nanosecondes pour réfléchir.

– Peut-être. Et alors ? C'est pas de ma faute, mais dès que le beau temps revient, on dirait que je ne me sens plus.

Il s'assoit en face de moi, moins radieux mais plus calme. Il a l'air plus affaissé. Et soudainement, sorti de nulle part, c'est le vrai Georges qui me parle.

– Ma Zézette dit que je devrais me faire prescrire des pilules aux hormones pour me calmer.

– Et pourquoi pas des antidépresseurs, un coup parti ? Tu devrais, c'est très tendance.

– Ben ! si ça peut me calmer un peu, je dis pas non.

– Commence par lire autre chose que *Play toy* ou *Grosses miches*, mon vieux. Tiens, des trucs sur les hormones, par exemple. Je suis sûr que tu apprendrais des choses intéressantes !

Pourquoi fallait-il que je dise cela sur un ton si... suffisant ? Même si je sais que j'ai visé dans le mille, avais-je besoin d'être méchant ? J'ai soudain l'impression d'entendre parler Corinne.

– Qu'est-ce que tu veux dire ?

– Écoute, mon vieux...

Mais les mots ne sortent pas, comme si mon orgueil était plus fort que ma gêne, incapable de reconnaître que j'ai dit une connerie et que je n'avais pas à juger mon ami.

De son côté, Georges plisse le front. Je suis persuadé qu'il essaie de faire comme si rien n'avait été dit, qu'il fait des efforts surhumains pour ne pas retomber dans l'infantilisme de sa perpétuelle fuite en avant. C'est fou comme je comprends tout ce qu'il vit et pense en ce moment, tous les courants qui le traversent de part en part. Au fond, la quarantaine n'est ni plus ni moins qu'un genre de schizophrénie, surtout chez Georges. Même s'il se prend encore pour un vieil adolescent, dans son fond le plus intérieur et lointain, il sait que sa vie vient d'atteindre un âge charnière, un stade où le mécanisme du temps et de la vie nous font changer de côté. La pente sur laquelle nous glissons maintenant, lui et moi, est irrémédiablement descendante. Alors on essaie de mettre les freins pour profiter le plus possible du paysage qui semble défiler de plus en plus vite autour de nous. Quelquefois, même, on fait semblant d'arrêter le temps en regardant ailleurs.

– Excuse-moi, Georges, je ne voulais pas éteindre ta flamme.

– Y a pas de faute, Didier. Y a pas de faute. C'est toi qui as raison.

Les yeux de Georges pétillent encore, mais l'éclat n'est plus le même. Une vague tristesse a éteint l'incendie dans ses prunelles, et c'est moi le pompier de service. Je me sens coupable comme un abat-jour qui aurait fondu sur l'ampoule qu'il devait modérer. Pourtant, je lui souris, peut-être timidement, mais je lui souris, car je sais que le volcan est encore bien en vie. Heureusement.

Corinne n'a jamais aimé Georges. Dès leur première rencontre, en fait. D'accord, Georges a couru après. Certainement malgré lui, au début, du moins. Car, comme bien des hommes, Georges se transforme en présence d'une femme, surtout quand elle est belle. Une espèce de mutation instantanée. L'homme devient bête, dans tous les sens, et ça n'a rien à voir avec l'âge. C'est probablement génétique. Et puis Georges, c'est Georges.

Comme je l'ai déjà dit, bien qu'il soit prof d'histoire, plutôt cultivé et certainement doué de sensibilité, Georges a des allures de Cro-Magnon. Quand nous avons commencé à nous fréquenter sérieusement, Corinne et moi, Georges nous a invités chez lui, dans sa maison de banlieue.

– Dans le 450 ! avait dit Corinne avec un haussement de sourcils comme pour souligner le sarcasme en filigrane.

Assis autour d'une table en chic résine de synthèse imitation tek, sur son *deck* en bois traité, à l'ombre d'un parasol aux couleurs d'une bière importée bien connue, nous devisions sur les choses de la vie de banlieue. Georges avait récemment repassé une bonne couche de teinture hydrofuge sur sa terrasse et il flottait une odeur de chimique à vous raboter les bronches.

Sa femme, Zézette, comme il la surnomme tendrement, prenait son travail d'hôtesse très au sérieux et nous étions constamment réapprovisionnés en victuailles et liquides de toutes sortes, et en silence. Moi, j'essayais d'embrayer une conversation aussi sociale que détendue.

– Et puis, Georges, comment vont tes enfants ?

– L'aîné est toujours en Alberta en train de transformer du sable en pétrole. Ça pue, ça pollue, mais ça paye !

Le rire dantesque et forcé de Georges avait bien failli créer un tsunami dans sa piscine. Subtil. Tout de suite, j'ai senti que Corinne n'était pas à son aise. C'est ce qui arrive quand un trop grand fossé sépare les gens. On se croise sans vraiment se voir, on se côtoie sans se mélanger, le syndrome de l'huile et du vinaigre. Tiens, ce serait chouette comme appellation d'un nouveau désordre mental à proposer aux psys. Chacun fait semblant de se combiner à l'autre, pour les convenances, puis retrouve ensuite sa place.

– Qu'est-ce que tu veux, on peut pas tous avoir une conscience sociale, hein ? avais-je enchaîné illico. Et ton plus jeune, toujours dans le théâtre ?

– Non, il fait de la musique, maintenant. Lui et ses copains ont monté un groupe de néo trash punk existentiel. Les Limaces bioniques, ou quelque chose comme ça.

– Tu entends ça, Corinne ? Un kid artiste, c'est chouette, non ?

Corinne n'entendait probablement pas les mêmes choses que moi. C'est à peine si elle esquissa une grimace en guise de sourire. Hermétique. Dès lors, comment trouver un quelconque point commun, un sujet de conversation sur lequel échanger vraiment ? Pourtant, en grand pédagogue qu'il est (j'adore quand il se prend pour Bernard Pivot !), Georges avait fini par aborder le sujet de la lecture et de la pauvre éducation de nos jeunes d'aujourd'hui. Bien entendu, il savait que Corinne travaillait aux archives de la Bibliothèque nationale. Mais allez savoir comment, la conversation avait subtilement et rapidement dévié sur la vaste et non moins cruciale question du bonheur. Après les histoires de tondeuses, de piscines hors-terre et de voisines en bobettes, la côte semblait soudain abrupte. Et visiblement Corinne ne voulait pas embrayer la première vitesse pour remonter cette côte avec Georges !

– Mais vous, Corinne, vous qui devez lire des tonnes de bouquins, j'imagine, la jeunesse, le bonheur, comment vous voyez ça ?

Mais Corinne ne voyait pas grand-chose. L'éternel balai semi-aérien de Zézette lui donnait le tournis et les problèmes de dosage du chlore dans l'eau de piscine avaient suscité chez elle autant d'intérêt que l'ALENA pour un pygmée égaré en Terre Adélie. Autrement dit, Corinne s'était déjà fait une idée et n'avait qu'une hâte : déguerpir. Sans compter que les blagues un tantinet macho de mon ami Georges lui avaient probablement torturé la fibre féministe. Surtout sa dernière sur les blondes et les pétards mouillés... Bref, le regard de Corinne transpirait le malaise et l'ennui. Pour clore le tout, le ton obséquieux que Georges prenait à son endroit ne faisait qu'attiser le feu de la diatribe qui couvait en elle. Si je lisais tout cela dans les yeux de Corinne, Georges n'en voyait rien. Ou peut-être faisait-il semblant ?

– Moi, j'ai pour mon dire que le bonheur est une affaire personnelle et que ceux qui échouent ne doivent s'en prendre qu'à eux-mêmes, avait continué Georges sur un ton d'orateur érudit.

Quelque chose avait piqué Corinne à ce moment précis. Quelque chose de trop, évidemment, puisqu'elle était déjà en état d'ébullition avancée. Corinne ne voyait pas encore sa psy à l'époque, mais elle lisait beaucoup sur le sujet de l'amélioration personnelle et des thérapies. La course au bonheur était donc un sujet déjà sensible et Georges venait de pénétrer dans les plates-bandes de Corinne avec ses gros sabots.

« À ma droite, Georges le Barbare ! Un mètre quatre-vingt-dix, cent cinq kilos, prof à ses heures et à celles de l'école ! Apparence d'épouvantail illettré mal habillé, mais cœur de poète érudit. »

« À ma gauche, Corinne la Féline ! Un mètre soixante-quinze et des poussières, soixante kilos par temps humide et basse pression. Femme sans peurs et sans reproches à la réplique assassine, ongles parfaits et teinture Brun Coquin de *Boréale* ! »

Je me souviens très bien de l'échange, presque mot à mot. Comme quoi le passé se conjugue souvent au présent.

Flash-back ! Ou analepse, comme diraient mes potes de l'Académie...

– *Le plus grand secret pour le bonheur, c'est d'être bien avec soi,* lance Corinne d'un air qui convie à la bagarre.

– Voltaire ? demande Georges en légère perte d'équilibre.

– Bernard Fontenelle, voyons ! réplique Corinne sur le ton de la réprimande au mauvais élève. Voltaire, c'est *cultiver son jardin*.

– Corinne lit beaucoup, dis-je avec un doigté de sage-femme pour ne pas gâter la sauce.

Je tâche de faire l'arbitre mais, de nos jours, la neutralité est dangereuse et mal vue.

– Mais ça revient un peu au même, non ? riposte Georges en m'ignorant.

Je le sens soudain prêt, lui aussi, à sortir de sa tranchée.

– Ça dépend de ce que l'on fait pour cultiver son jardin. De toute évidence, certains préfèrent rester incultes, non ?

Aïe ! aïe ! aïe ! La flèche passa si près de sa caboche que le chapeau tomba, comme disait Victor. Hugo, pas Lévy. Enfin, si Georges en avait eu un, de chapeau. Du coup, un ange essaie de s'introduire dans la conversation pour y insérer son silence de paix. Mais il en est expulsé aussi sec qu'un pet par les belligérants peu enclins au dialogue apaisant.

– Et qu'est-ce que vous proposez ? demande Georges l'air de rien, mais l'armurerie mentale bien fourbie.

– De toute façon, je me demande comment on peut faire pour être vraiment heureux aujourd'hui, élude soigneusement Corinne. Tout va tellement mal ! À moins de faire une analyse introspective en bonne et due forme, évidemment.

– Il s'agit simplement de mettre avant tout l'accent sur les aspects positifs de la vie, vous ne croyez pas ?

Georges est olympien dans son calme de mer étale. Mais quelque chose me dit qu'au plus profond de sa mer étale les plaques tectoniques grincent et s'entrechoquent.

– Mmoui... Bonne façon de ne pas regarder ses problèmes en face, relance Corinne avec un sourire assassin.

– L'important est d'avancer, non ? renchérit Georges aussi sec.

– On a tous notre chemin intérieur à parcourir, rétorque Corinne du sourire neutre d'un Suisse armé jusqu'aux dents.

Pif ! Paf ! Ping ! Pong ! Mes yeux vont de l'un à l'autre, frénétiques. Mais ce n'est pas fini, car voici Georges le magnifique qui en remet avec une citation fort à propos.

– *La clé qui ouvre l'accès à tous les niveaux de la spiritualité, c'est la volonté.*

Silence de Corinne que le coup fait vaciller. Elle doit faire turbiner ses neurones à fond la caisse pour savoir de qui vient cette citation. Georges s'en amuse un peu et prend quelques secondes pour répondre. Juste le temps d'avaler un demi-litre de bière d'une seule lampée. Quand il s'extirpe de son bock, il a la moustache écumeuse et le sourire dissimulé. À peine.

– Ostad Elahi, murmure Georges en s'essuyant délicatement la broussaille *sub-nasale*. Philosophe iranien, né au XIXe siècle...

– ... Je pensais à quelque chose de plus contemporain...

– ... et décédé en 1974, enchaîne Georges l'air de rien. Autrement dit, plus contemporain que Freud.

– Je ne pensais pas nécessairement à Freud. Les possibilités de se comprendre aujourd'hui sont plutôt vastes, non ?

À ce moment-là, j'avais déjà cessé de compter les points. Il était clair que Corinne et Georges étaient partis sur une mauvaise pente. Et de toute évidence, je ne pouvais retenir et empêcher l'un et l'autre de glisser dans l'incompréhension mutuelle. Comme je l'ai dit, je savais Corinne chatouilleuse sur le sujet de la course au bonheur par le cheminement introspectif individuel. C'est drôle car, le matin même, elle m'avait vanté les mérites d'une de ses amies qui finissait une maîtrise en psycho et qui lui proposait de l'analyser gratos, histoire de se faire la main. Corinne avait bien entendu décliné son offre, car elle ne voulait pas mélanger névrose et amitié. Attention touchante. Et pour que ça fonctionne, il faut payer, paraît-il.

Bref, pour en revenir à notre analepse et à nos belligérants...

– Le *counselling*, les thérapies et tout le tralala ? claironne Georges avec un parti pris gros comme une maison.

– Pourquoi pas ? Il y a de très bons psychologues, vous savez, réplique Corinne d'un air pincé. Mais il est vrai que ce n'est pas à la portée de tout le monde.

– Mais il faut être aveugle pour ne pas se rendre compte que les psys font fausse route ! Des aveugles qui guident des aveugles !

– Parce que vous connaissez bien les psys, j'imagine ? réplique Corinne d'une voix fêlée par une sourde colère socialement contenue.

– *Seuls les psychologues inventent des mots pour les choses qui n'existent pas !* C'est pas moi qui le dis, c'est Jung lui-même !

Silence de messe mortuaire autour de la table.

– Et moi j'irais même plus loin que lui, de renchérir Georges le plus sérieusement du monde. Ces gens-là foutent le bordel partout où ils passent. Vous en voulez la preuve, Corinne ? Depuis qu'ils ont pris le contrôle de l'éducation, non seulement les enfants ne savent plus lire, mais en plus ils n'ont plus aucun respect ! Pas vrai, Didier ?

Le silence devient tellement épais et gluant que j'ai l'impression qu'on ne pourra plus se lever au moment de partir. Même un ange ne pourrait pas décoller ! J'essaie de noyer mon regard dans mon verre de bière, mais j'échoue car, au même moment, Corinne me lance elle-même un regard qui en dit plus long que le discours du trône à l'Assemblée nationale. Mais elle est issue d'une bonne famille, et elle fait des efforts titanesques pour garder contenance.

– Vous savez, Georges, chacun a droit à son opinion, finit-elle par articuler en guise de conclusion pacifique. Alors à quoi bon discuter ? On n'est pas sur la même longueur d'onde, c'est tout.

Georges opine du chef et finit d'engloutir le contenu de son bock de bière. Quand il le repose, je pressens que lui aussi veut conclure. À sa manière.

– Corinne, avouez tout de même que la psychanalyse, les psys, c'est dépassé, tout ça ! susurre Georges avec un imperceptible sourire. Ce qui est vraiment *in*, c'est la génétique.

Corinne observe Georges en silence, pas sûre de bien comprendre sur quel terrain cet olibrius du 450 l'entraîne. Le con me fait un clin d'œil comme il sait si mal les faire. Du coup, me voilà complice. Madame Zézette arrive à ce moment précis pour voir si nous ne manquons de rien. Elle doit remarquer nos visages de rugbyman prêts pour la mêlée ouverte et décide *in petto* qu'elle va faire dégeler quelques petits fours au micro-onde.

Exit madame Zézette, tous les anges du 450 sur les talons. Il y a des zones où même les silences sont dangereux !

– Je ne comprends pas, murmure enfin Corinne.

– Tout est dans les gênes, à ce qu'il paraît. Vous n'êtes pas au courant ? Qu'on soit alcoolo, pédophile ou infidèle, c'est les gênes qui nous le dictent. Alors à quoi bon s'allonger sur le divan pour s'explorer le caisson, comme dirait Didier ? Je préfère m'en servir pour autre chose, du divan ! Pas vrai, « mon pote » ?

À ce moment, Georges m'avait donné une tape dans le dos à me décoller la plèvre et s'était mis à rire comme un chimpanzé venant de comprendre qu'il est l'ancêtre de l'homme. Au fond, pour lui, tout cela n'était pas sérieux, même s'il croyait ce qu'il disait. Rien de méchant, juste une bonne façon de briser la glace et de rigoler.

Mais la glace de Corinne était restée intacte, plus épaisse, même. Yeux de braise et sourire de congélateur, elle fulminait néanmoins, seule dans ses retranchements. Mais toujours dans les règles de la vie sociale et des bonnes manières. Probablement les restes de son éducation. Comme je l'ai dit, une bonne famille bien bourgeoise et bien nantie contre laquelle, évidemment, Corinne s'était rebellée et de laquelle elle cherchait encore à s'affranchir. Même après toutes ces années. À chacun ses misères et son chemin de croix.

Moi, ma famille...

Non, ça c'est une autre histoire.

Bref, ce fut la première – et quelle première ! – rencontre entre mon ami Georges et mon amie de cœur. Catastrophique ! Une parenthèse à oublier. Mais inoubliable. Surtout pour Corinne. La mémoire des femmes est éléphantesque, proportionnellement aux torts qu'on a pu faire à leur amour-propre. Parole d'homme, évidemment.

Depuis ce jour, Corinne n'a jamais pu voir Georges en peinture.

Par chance, nous n'avons pas besoin de nous voir en cachette, Georges et moi. J'aurais du mal à choisir entre amour et amitié.

Une fois n'est pas coutume, ma psy m'a donné rendez-vous un vendredi matin. Elle voulait partir plus tôt pour le chalet.

– Tu comprends, les embouteillages du vendredi soir sur la 15...

Une fois n'est pas coutume et ne sera jamais coutume non plus ! L'embouteillage, c'est moi qui l'ai dans la tête maintenant ! Je ne peux m'empêcher de repasser la scène encore et encore alors que j'arrive au bureau. Comme un vieux vinyle égratigné qui saute au même endroit.

En entrant dans le bureau de ma psy, elle m'a tout de suite dirigée vers une autre pièce que je ne connaissais pas. Une chaise, un divan, quelques coussins. J'ai tout de suite compris que le divan était pour moi. En m'assoyant, je me suis aussitôt emparée d'un coussin que j'ai serré contre moi pendant que ma psy préparait son bloc-notes. Elle m'a observée quelques instants silencieusement puis m'a demandé de lui parler de ma mère. Un sujet hypersensible s'il en est un. Ça fait plusieurs séances qu'on aborde la question sans succès. Mais cette fois n'étant pas coutume, ma psy avait une autre technique pour extraire le méchant : le coussin. Une vieille technique, paraît-il, mais qui a fait ses preuves. Au début on a parlé, comme d'habitude. Puis elle m'a demandé de m'agenouiller face au divan, le coussin entre les mains en m'imaginant qu'il s'agissait de ma mère.

– Tu as le droit de lui taper dessus, m'a-t-elle suggéré.

J'ai trouvé ça drôle, ridicule, même. Il ne m'avait rien fait, ce coussin ! Je pensais surtout à Didier... Je ne pouvais m'empêcher d'imaginer ce qu'il aurait dit s'il m'avait vue ! « Ah non, mais quand même, ça impressionne, la psychologie, quand on connaît pas ! »

Je ne sais pas si c'est ce sarcasme que j'ai imaginé qui m'a allumée, mais j'ai voulu me laisser prendre au jeu. Après tout, il faut que je donne tort à Didier, même en pensée ! Si j'ai commencé timidement, je dois avouer que les insultes que je proférais de plus en plus fort au coussin m'ont aussi grandement aidée.

– Vas-y, Corinne ! insistait la psy comme si elle encourageait des marathoniens en plein effort. Laisse monter l'émotion. Qu'est-ce que tu voudrais lui dire à ta mère, hein ? Dis-lui ! Vas-y, crie-lui !

Quinze minutes plus tard, je labourais littéralement le coussin de coups de poings rageurs tout en déversant sur lui des propos orduriers dont j'ignorais même l'existence !

Je ne sais pas combien de temps cela a duré. L'inconscient n'a ni temps ni limites, et c'était une autre moi qui habitait ce corps secoué de rage et de convulsions. J'aurais pu continuer comme ça encore et encore si ma psy n'avait pas posé sa main sur mon épaule.

– Corinne ? C'est bien, c'est très bien. On a bien travaillé, très bien, même. Mais on va arrêter là pour aujourd'hui.

Je finis par distinguer un visage humain à travers mes larmes et le brouillard de mes sentiments.

– Que... Quoi ?... bredouillé-je enfin en essuyant les coulées de larmes et de morve mélangées sur mon visage.

– La séance est terminée. Je vais te laisser récupérer, d'accord ?

Je ne l'entendis même pas sortir de la pièce. J'émergeais finalement de mon coma passager avec l'impression d'avoir la tête dans une grosse caisse martelée par des joueurs de Taiko. Effectivement, j'étais seule dans la petite pièce, encore tremblante et éperdue, le coussin humide et baveux pressé tout contre moi. Je me décidai enfin à m'en séparer et à me mettre debout. Le travail m'attendait. En réalité, je ne me rappelle pas vraiment comment j'ai fait pour sortir sur mes deux jambes sans m'encastrer dans tous les murs qui croisaient mon chemin.

Une fois sur le trottoir, je fus envahie par une nausée aussi soudaine qu'inattendue. Je m'assis quelques minutes sur un banc afin de reprendre mes esprits. L'envie de vomir disparut graduellement, vite remplacée par une sourde colère d'origine inconnue. Tant et si bien que j'envoyais chier un passant bon samaritain qui m'avait demandé si j'avais besoin d'aide.

Bref, comme je le disais au début, c'est l'embouteillage dans ma tête ! Il n'est pourtant que dix heures trente ! Je suis à cran en pénétrant dans le service des Archives nationales. Mireille s'en rend compte illico et c'est à peine si elle soupire pour me dire bonjour.

Au moins, j'ai évité la pause.

Mais je suis assise depuis à peine trois secondes à mon bureau que Laurence arrive presque en courant pour jouer au picador avec mes nerfs. Il y en a qui ont vraiment le sens du *timing* !

– Bon après-midi, Corinne ! s'exclame-t-elle avec le doigté d'un manchot arthritique.

Le regard de mineur de fond que je lui lance ne l'éteint pas le moins du monde. Au contraire, ça l'illumine !

– Ben quoi, ton copain avait plus de mine dans son crayon ?

– Hey ! toi, la déjantée du sexe, écœure-moi pas ce matin !

Laurence sursaute sous le coup de la surprise. Sûr qu'elle ne s'attendait pas à une telle réaction de ma part. Moi non plus. Mais il n'est pas question qu'elle en reste là. Mireille a tout entendu. Elle serait témoin de sa déconfiture. Laurence réplique donc de façon à bien être entendue.

– Non mais oh ! Ça va faire, la crise d'hormones !

– Commence par organiser les tiennes, on parlera des miennes ensuite !

– Attends un peu... T'es pas en train de juger mon orientation sexuelle là ?

– Mais je m'en tape, moi, de ta désorientation sexuelle, tant qu'elle n'est pas dirigée contre moi ! C'est facile à comprendre ça, non ? Alors pour une fois, fais-toi subtile et surtout fais de l'air !

Laurence reste plantée là, le regard hagard et la lèvre molle. C'est probablement la première fois qu'elle se fait boucher par autre chose qu'un godemiché. Je sais, ça fait *cheap* et c'est probablement passible de la Cour martiale des droits de l'Homme et de la Femme tous sexes confondus, mais ça me fait du bien. Probablement les répercussions du séisme que j'ai expérimenté plus tôt chez ma psy.

Au bout d'un moment, Laurence tombe de ses limbes et redresse le menton. Sa lèvre se durcit, tout comme son regard que je soutiens sans faiblir. Mais avant de s'éclipser d'un pas raide, l'inflexible lesbienne me lance une dernière flèche bien sentie.

– Ça n'en restera pas là !

Si elle pense me faire peur avec ses menaces, elle se fourre le doigt dans l'œil jusqu'au coude, et même ailleurs si elle le veut !

Quelques minutes plus tard, Mireille apparaît dans mon collimateur.

– Dis-donc, as-tu consommé quelque chose ce matin ?

C'est vrai que je peux avoir l'air d'une cocaïnomane en pleine crise existentielle tellement je suis surexcitée.

– Tu devrais peut-être aller t'excuser, suggère ensuite Mireille avec douceur.

– C'est toi qui me dis ça ? répliqué-je du tac au tac en pensant aux blagues qu'elle fait régulièrement et qui frisent l'hérésie homosexuelle.

– Moi je fais des farces, c'est pas pareil.

– Elle m'a cherchée, elle m'a trouvée ! Point final !

– Mais tu connais Laurence. Elle peut tout aussi bien aller porter plainte à la Ligue des droits et libertés.

– Qu'elle aille se plaindre à l'ONU ou à la Ligue nationale, je m'en fous comme de mon premier Tampax ! J'aurais agi comme ça avec n'importe qui.

– Ben justement, c'est pas n'importe qui. Tu sais qu'elle milite pour la...

– ... Elle pourrait bien militer pour le droit à l'émasculation à froid de tous les mâles de la création que je m'en taperais tout autant !! J'en ai marre à la fin de ce nouveau fascisme des minorités opprimées. Moi aussi j'ai le droit de m'exprimer ! Et j'ai surtout le droit à ce qu'on vienne pas me faire chier !

Je tremble, tellement je rage. Un oreiller ! Un coussin ! Vite ! Je vais avoir une révélation ou un orgasme de colère ! Mireille me regarde avec les yeux de l'inquiétude anxieuse.

– Ça va, Corinne ? T'as... t'as pas l'air... heu, comme d'habitude. Je ne te reconnais plus.

Moi non plus, ai-je envie de lui répondre. Mais peut-être est-ce enfin la vraie moi qui émerge comme ça de nulle part ?

– T'étais où, toi, ce matin ? demande Mireille avec une soudaine douceur affectée.

– Chez ma psy ! Bon, t'es contente là ?

Je glapis encore, mais au moins je ne rage plus. Mireille hausse imperceptiblement les sourcils. Elle a compris et n'en demande pas plus. Ce n'est certainement pas aujourd'hui que je vais lui donner la flamme de la thérapie ! Moi-même j'ai soudain des doutes face à ma démarche. Et s'il m'arrivait de perdre le contrôle pour de bon après une séance, qui serait là pour me contenir à part une camisole de force ?

Quoi qu'il en soit, après quelques minutes de silence, je suis redevenue la bibliothécaire modèle et appliquée. Le service des archives a retrouvé son calme feutré et moi le mien. Apparemment, du moins, dans l'un et l'autre cas.

Car je ne peux m'empêcher d'être encore inquiète. Toute cette violence soudaine... Quoi d'autre se cache encore dans le tréfonds de mon moi insoupçonné ?

Ça sent tellement les vacances que l'après-midi à l'école a passé en coup de vent. Après l'incident avec Georges, je suis allé donner mon cours. En réalité, on a pris ça relax et les élèves étaient détendus. Je les ai laissés parler, de tout et de n'importe quoi ; ils pouvaient me poser les questions qu'ils voulaient. Au début, j'ai eu droit aux questions académiques et sérieuses, histoire de délier les langues et la gêne, puis la glace a fondu.

Alors ils se sont laissé aller et il n'y avait plus de questions, que des enfants heureux de pouvoir communiquer sans obligations. Tous parlaient librement, parfois dans une joyeuse cacophonie. Ils disaient ce qu'ils aimaient, ce qu'ils détestaient, ce qu'ils allaient faire de leurs vacances, de leur vie. Ils parlaient de leurs musiques favorites, des filles, des gars... On a même eu droit à une démonstration de *break dance* par un petit représentant des minorités visibles, comme on doit dire pour être poli. Un autre déplacé d'une de ces démocraties en émergence, un réfugié dont les souvenirs sont constitués à soixante-dix pour cent de guerre et à trente pour cent de faim et qui, pourtant, danse, rigole et se contorsionne sans égard à sa charpente physique et psychique. Impressionnant.

Seul Lucien restait muet. Je l'espionnais à la dérobée. Il lui arrivait d'écouter d'un air légèrement distrait, la joue écrasée sur son poing fermé, comme désabusé, déjà, à son âge. Puis je devinais qu'il partait rapidement vers un autre monde, un monde certainement fait d'angoisses et de questions sans réponses, de rêves et d'illusions perdues. Qui sont les vrais réfugiés dans ce monde ? Je n'ai même pas essayé de le faire parler, malgré la consigne établie par la psychologue, Mme Freud comme je me délecte à l'appeler, notre experte et autorité en matière grise. Comme s'il fallait des diplômes pour voir l'évidence. Faire parler Lucien devant les autres ? Mais pour quoi faire ? Attirer l'attention sur lui ? Le pousser vers un embarras assuré ? Lucien me renvoie constamment l'image de mon échec à l'aider, et ça me fait mal.

Une femme qui raisonne est une femme à bout de sentiments.

– Quel est l'imbécile qui a écrit ça ? marmonné-je pour moi-même tout en retournant le livre que je m'apprêtais à classer.

Malcolm de Chazal ? Non mais pour qui se prend-il pour ainsi prétendre connaître « la » femme ? Il faut être femme pour comprendre les femmes. L'homme prend la femme mais ne la comprend pas. J'ai envie de mal classer le livre de M. de Chazal, histoire qu'on ne le trouve jamais... Mais je suis trop consciencieuse, et sans jeu de mots, je crains d'avoir mauvaise conscience.

Personnellement, je suis plutôt au bout de mes sentiments ! Nuance !! Je me sens d'humeur batailleuse, comme si d'être descendue au fond de mes pensées inarticulées avec l'épisode du coussin m'avait donné un nouvel élan pour remonter. La vérité est que j'ai pris une décision : je vais confronter Didier et nous allons discuter. Si je suis capable de parler à un coussin, je peux le faire avec un être humain, non ? Peu importe comment ça va sortir. Peu importe les conséquences. Laurence a d'ailleurs été ma première victime.

Prendre une décision, c'est balayer le doute et les ambiguïtés, même si la décision n'est pas la bonne. Mieux vaut se tromper que ne rien faire et succomber au *statu quo*. Après tout, je ne sais même pas pourquoi nous en sommes rendus là où nous en sommes, Didier et moi. Quand je pense avoir trouvé le pourquoi du comment, ou au moins un début d'explication, le doute s'installe. Comme si l'origine de cette crise s'était fondue dans le néant. C'est fou comment on peut se rappeler certains détails insignifiants de notre vie et oublier l'important. À moins que notre mémoire n'occulte ce que nous refusons de voir et d'admettre ?

Pourtant il y a un début à tout, les bonnes choses comme les mauvaises, un grain de sable qui dérègle cette machine complexe qu'est la vie. Et ce que nous vivons actuellement n'est peut-être que le fruit d'une broutille qui a pris des proportions démesurées ?

– Toute perle se forme autour d'un modeste grain de sable, m'entends-je répondre à mes propres pensées.

Quelle perle en ce qui nous concerne ! Celle de la stupidité, certainement. Pourtant, un jour il faudra bien ouvrir notre huître et puis se dire et se découvrir... Mais oser la communication, c'est oser l'inconnu, baisser la garde en sortant de derrière nos remparts, être prêts à reconnaître nos propres torts... À peine cette pensée me traverse-t-elle l'esprit que déjà le doute s'installe. Et si j'étais la seule à jouer le jeu ? Si Didier reste sur ses positions, je vais avoir l'air de quoi ? Celle qui dépose enfin les armes ?

C'est vrai que Didier peut être condescendant, arrogant, même. Affranchi, aussi, comme s'il n'avait besoin de personne. Surtout pas de moi. Probablement l'orgueil, le refus d'avouer ses faiblesses ou ses torts. Comme moi. J'avoue, il n'y a pas que les hommes qui en sont capables.

J'avais tout de suite remarqué cette distance la première fois que j'avais rencontré Didier, ou plutôt une sorte de détachement. C'était dans une église, si je me souviens bien. Étrange pour la rencontre de l'âme sœur quand on y pense. C'est toujours mieux que les bars, après tout ! Mais malgré cette distance palpable, probablement sa bulle d'intimité, j'avais senti ce fluide immatériel qui s'écoule entre deux êtres qui se reconnaissent. Amis, amours, amants, le fluide est le même, à part sa couleur et sa densité. Étions-nous faits pour être seulement amis ?

Sur le chariot que je pousse dans les allées muettes du département des archives reposent quelques exemplaires rarissimes de la grande pensée humaine. J'ai parfois l'impression d'être une infirmière qui conduit une civière sur laquelle reposent des corps meurtris et fragiles.

Mais moi, je dois être forte.

J'insère un exemplaire centenaire du *Dictionnaire de pédagogie* de Ferdinand Buisson entre deux autres patriarches qui gémissent. Qui se souvient que vous fûtes Prix Nobel de la paix, Monsieur Buisson ?

Oui, je dois être forte. En fait, je ne sortirai pas de derrière mes remparts. Pas tout de suite. Je vais d'abord jauger la bonne volonté de Didier. Pourquoi ferais-je seule le premier pas après tout ? Si les torts sont partagés, toujours, le premier pas doit l'être aussi. Je ferai comme si de rien n'était, un tantinet distante mais pas fermée. Si Didier est disposé à s'ouvrir lui aussi, alors il verra mon ouverture.

Mais j'ai beau essayer de me convaincre, j'ai peur de me replier dans mes tranchées à la première menace, réelle ou imaginaire, comme d'habitude. Même si ma séance de thérapie d'aujourd'hui m'a démontré tout le potentiel de rage qui se cache en moi ! Au fond, ça me fait peur. Je soupire en serrant les dents. Il n'y a pas que la chair qui est faible ; l'âme aussi. Chazal avait-il raison, après tout ?

Je sursaute tout à coup. Mireille vient de faire irruption derrière moi.

– Corinne ! Je te cherchais. Tu connais pas la meilleure ?

– Merde, Mireille, tu m'as fait peur !

J'ai le cœur qui bat comme un sprinter après un cent mètres !

– Je te l'avais dit, hein ? Laurence, la tabarn...

– Évite les fleurs et viens-en au fait, la coupé-je en plein vol.

– Elle a porté plainte contre nous !

– Quoi ? Et pour quel motif ?

– Je te le donne en mille ! Harcèlement sexuel !

– À cause de ce que je lui ai dit aujourd'hui ?

– Pas rien que ça. Tu te rappelles la dernière fois où j'ai raconté des blagues ? Tu sais, le petit livre que j'avais acheté...

Comment oublier cette pause-café durant laquelle Mireille avait joué au stand-up comique. Je l'entends encore...

– Hé, les filles, écoutez celle-là ! Savez-vous ce que se disent deux homosexuels juifs qui veulent sortir ensemble ?... Qui s'ra elle !

Ça, c'était la dernière d'une longue série, la moins pire, la plus légère. Il y avait eu tout de même un léger flottement, comme une interruption momentanée de la vie. L'ange qui passait par là avait lui-même hésité une fraction de seconde avant de se joindre à l'hilarité générale. Seule Laurence était restée de marbre, la lèvre pincée. Mais Mireille s'était méprise sur son silence. Elle la connaissait pourtant, Laurence, un brin parano et hypersensible sur sa condition de lesbienne et la condition homosexuelle en général.

– Qui s'ra elle... les juifs... Israël... la comprends-tu ? Avait rajouté Mireille pédagogue à l'attention de Laurence mortifiée.

Mais la lesbienne pas gaie du tout avait haussé les épaules en serrant un peu plus fort les dents. Sa compréhension était pour le moins limitée. Suffisamment pour qu'elle décide de nous planter en plein milieu de la pause-café. Dans sa tête elle devait se prendre pour le vilain petit canard quittant la mare. Ça, c'était mauvais signe !

Quand j'y repense, ça sentait les représailles. Et ma diatribe de ce matin n'a fait que souffler un peu plus sur les braises de la vengeance qui couvaient déjà chez Laurence. Disons même qu'elle a pris feu.

Au fond, c'est l'éternel balai des guerres quelles qu'elles soient. De la chicane de ménage à l'intifada. L'agressé devient l'agresseur pour se venger puis redevient l'agressé quand le premier agresseur cherche à son tour vengeance... *ad vitam aeternam* et *ite missa est* !

– T'en fais pas trop avec ça, finis-je par dire sans trop y croire moi-même. Ça va finir par se tasser.

– Je vais te dire une chose, fille, il n'y a pas grand-chose qui se tasse tout seul dans la vie.

Mireille s'éclipse de mon champ de vision et, sans qu'elle le sache, le coup fait mouche. Une fois de plus, Mireille me ramène face au mur des lamentations de ma propre vie, et elle a raison. Mais c'est quoi la solution alors ? Coussin, ô coussin ! Dis-moi qui je suis !

Ou alors il faudra que je regarde dans mon agenda *Un jour à la fois*. Il doit bien y avoir une citation qui réponde à cette question...

Fin d'après-midi. Le soleil commence son dérapage vers l'horizon. Tranquille. Pas moi. Je suis de retour dans mon coin de Provence, et tout se passe comme si j'avais retrouvé mes pensées de ce matin, là, au même endroit ; comme si elles m'attendaient pour que je les reprenne où je les avais laissées. J'ai encore le regard perdu dans la couleur du ciel, comme si j'attendais l'arrivée d'un ange qui pourrait enfin me souffler des réponses. Je fouille l'azur muet ; aucun escadron angélique en vue. C'est plutôt Corinne qui arrive. Elle s'écrase, l'air désinvolte, dans le fauteuil face à moi. L'osier gémit de toutes ses fibres. Je décèle pourtant un autre éclat dans son œil et ce n'est pas de la désinvolture.

– Bonne journée ? demande Corinne l'air de rien.

– Tranquille. Ça sent les vacances. Toi ?

Corinne fait une moue qui en dit déjà long. D'accord, c'est mon interprétation. N'empêche que le silence qui suit installe de nouveau le même malaise entre nous. C'est pourtant un malaise plus épais, comme des nuages chargés d'électricité emplissant d'un coup le ciel bleu. Un ange en béquille s'écrase d'ailleurs à nos pieds dans un fracas ouaté ; d'où sort-il celui-là ? Alors je tente un plongeon, timidement.

– Ça va ?

Je sais, c'est une question totalement idiote en l'occurrence et je la regrette aussitôt. C'est comme demander à un mourant quels sont ses projets de vacances. Corinne fait une nouvelle moue, juste un peu moins molle, qui m'en dit soudain moins long. Je pense qu'elle aurait préféré une autre question, ou que j'en dise un peu plus long. L'ange se relève, incertain lui aussi, puis fout le camp en boitillant de l'aile. Il a subodoré l'orage. Tout comme moi.

– Qu'est-ce qui nous arrive ? lance alors Corinne comme une salve de canon.

Son ton est tranchant, accusateur, plus direct que d'habitude. Je n'ai plus envie de plonger. Alors je hausse les épaules pour lui laisser l'initiative d'émettre son opinion. Mais Corinne n'émet pas, elle fusille !

– C'est ton andropause ? La crise de la quatrième décennie ?

– Dis pas de connerie, Corinne, veux-tu ?

– T'as quelqu'un d'autre ?

Je me contente une fois de plus de hausser les épaules sans même la regarder. Ça me fait sourire, même, tellement je trouve cette supposition stupide. Pourquoi faudrait-il absolument qu'il y ait une autre femme ? Je pourrais en dire autant d'elle !

– Alors quoi ? Merde ! Didier, si tu parles pas...

Mais le reste ne suit pas. Je regarde Corinne intensément, comme pour deviner les mots au fond de ses yeux. Mais la porte de son âme vient de se refermer avant que j'aie eu le temps d'y glisser un pied. Pourtant, ses yeux brillent encore de cet éclat... guerrier. C'est ça, guerrier. Nous y voilà. Ce n'est pas une explication, c'est la guerre !

– C'était quoi, ça ? Des menaces ? Tu sais que ça ne marche pas avec moi.

– Mais alors, c'est quoi qui marche avec toi ? explose-t-elle soudainement.

Là je bloque. C'est con mais je ne sais pas quoi dire. Sa question agit comme un javellisant sur mes sens : le blanc total. Qu'est-ce qui marche avec moi ? Cette question, tout comme cet accès de colère de Corinne, n'était pas prévue. La femme qui est devant moi n'est pas la Corinne habituelle. Mais mon silence a certainement l'air d'autre chose que de cette panne de dialogue qui se fait en moi.

– Bon Dieu, Didier ! Sors de ta bulle ! Je sais pas ce qui se passe, mais ça doit changer, tu comprends ? Parce que sinon...

– Primo, tu te calmes. J'ai pas envie que les voisins...

– Mais je m'en tamponne, des voisins ! hurle Corinne hors d'elle. Je te parle de toi, de moi, de... Oh ! et puis merde à la fin !

Contre toute attente, Corinne ferme d'un coup les vannes de sa colère et se détourne. Pour éviter de dire le pire ? De faire l'irréparable ? Ou simplement pour cacher une larme ?

Mais non, Corinne ne pleure pas. Soupir intense pour reprendre sa contenance. Puis son regard vient de nouveau se planter dans le mien. Un clou ne serait pas moins douloureux ! Corinne me dévisage encore comme si j'étais une cible. Ses yeux se mettent soudain à parler à toute allure dans une langue que je connais de mieux en mieux. Ils déversent en silence ce qu'elle n'a pas osé dire en criant. Dépit, colère ou frustration, ses sentiments déferlent sur moi comme un maelström. Je m'attends tout de même à voir une larme plonger de ses yeux et se frayer un chemin sur sa joue comme une coulée de lave. Mais Corinne est forte, surtout orgueilleuse. Je le sais, et elle le sait. En apparence, comme moi ? Probablement, mais l'apparence est un rempart utilisé universellement et que chacun bâtit selon ses plans. Nos regards croisent le fer encore quelques secondes puis se détournent au même instant. J'ai la pensée fugace que cette harmonie si paradoxale qui nous lie en cet instant est basée sur un désaccord.

Est-ce là une indication de ce qui nous attend ? La réponse que j'attendais de mon ange ? Corinne se lève sans dire un mot de plus. Et je sais qu'elle restera muette jusqu'à ce que je me décide à parler. Mais qu'est-ce que je peux lui dire ?

Dis-moi, Corinne, avons-nous déjà passé la croisée des chemins ? Sommes-nous déjà seuls, chacun sur sa propre route ?

Le quotidien nous enterre aussi sûrement que le fossoyeur qui nous mènera à la tombe. Une fois de plus, je me suis butée à un mur et j'ai bloqué. L'hermétisme et la suffisance de Didier, mais surtout mon propre mur. Alors que je pensais avoir enfin trouvé la force de me libérer, quelque chose a coincé en moi, une fois de plus. Quelque chose d'impalpable et à la fois tellement solide. Quelque chose d'invisible, d'inexplicable et pourtant si présent, et assurément plus fort que moi. Quelque chose que je ne connais que trop bien pour avoir vécu avec depuis si longtemps. L'homme est aussi direct et renfermé que la femme est complexe et compliquée. Je n'ai pas pu aller jusqu'au bout de ma colère. Chassez le naturel et il revient au galop ! Pourrons-nous jamais changer un jour, et en mieux ? Une pensée fugitive me traverse alors l'esprit : abandonner avant de me faire abandonner ?

Mais pour l'instant je pleure. En silence. À l'abri de la nuit qui efface les visages et fait naître les rêves. Tous les hommes que j'ai connus m'ont toujours considérée comme une poupée de porcelaine, susceptible et trop gâtée, l'enfant pourrie d'une famille trop bien nantie pour connaître les vraies valeurs de courage instillées par la nécessité. À prendre avec des gants mais pas au sérieux. Alors je n'ai jamais voulu pleurer devant eux. Mais maintenant que la nuit m'enveloppe et me protège des regards, je laisse l'amertume et la désillusion se déverser hors de moi.

Abandonner Didier ? C'est fou mais je ne m'en sens pas capable.

Me faire abandonner ? Je n'y suis pas plus prête. Et pourtant...

Didier dort sur le sofa du salon. Seule dans mon lit, une fois de plus mon orgueil s'est effondré sans bruit, avec mes remparts, inutiles.

Demain, pourtant, je crains que la nuit n'ait tout rebâti.

Autre semaine, autre journée, même quotidien, même comédie.

Pourtant, quelque chose a changé l'autre soir. Si la fin de semaine s'est déroulée sans nouvelle anicroche entre Corinne et moi, c'est parce que nous avons soigneusement évité toute confrontation directe. À part la routine habituelle du ménage et des courses, Corinne à l'aspirateur, moi au marché – Eh oui ! je fais les courses, et j'aime ça ! – chacun est resté bien gentiment dans ses retranchements. J'ai lu, écrit pendant que Corinne s'occupait les mains et l'esprit avec les plantes sur la terrasse.

La fin de semaine a passé sans autre tempête. Mais les nuages sont tous à l'intérieur.

En cet autre lundi matin, la salle des profs est habitée des murmures habituels de la pause-café matinale. Comme d'habitude, je suis à l'écart avec Georges. J'ai les yeux dans la mousse du lait de mon double *espresso macchiato*, mais je peux sentir le regard de Georges s'appesantir sur moi. Il est plus calme ce matin, et je ne peux m'empêcher de penser qu'une partie de jambes en l'air avec sa Zézette a temporairement modéré son bouillonnement hormonal. L'air de rien, Georges sirote son jus de chaussette infâme qui sent le fond de pot mal rincé. Nous n'avons pas le même fournisseur.

– T'es vraiment pas obligé de parler, tu sais...

C'est à peine si je l'ai entendu chuchoter. Malgré ses airs de Cro-Magnon, Georges est capable de douceur et de discrétion.

– Merci, vieux.

Autre lampée de café, autre silence.

– ... Mais je t'écoute.

Je lui réponds avec mon regard « spécial mystère profond ». Mais pour Georges, c'est un secret de polichinelle. Je ne comprendrai jamais comment un être qui peut revêtir des airs si primitifs puisse avoir en même temps une telle sensibilité. Georges est l'image parfaite de l'ange et la bête cohabitant dans le même corps. Le paradoxe de l'humanité.

– Corinne ?

Instantanément, je me raidis.

– Qu'est-ce qui te fait dire ça ?

– Écoute, vieux, j'ai de l'expérience en la matière : ça fait bientôt vingt ans que je suis marié. Et puis il y a des non-dits qui en disent pas mal long, surtout les tiens ! Allez, accouche qu'on baptise !

Je prends quelques secondes avant de plonger, histoire de trouver quelque part en moi le courage de me mettre l'âme à poil devant Georges.

– Je ne sais pas où on s'en va, Corinne et moi.

– Ben, parlez-vous.

– Pour dire quoi ? Je ne sais même pas quoi penser moi-même. Et Corinne en est certainement au même point. Dès qu'on ouvre la bouche, ça finit toujours par des vacheries.

– Prenez vos distances et réfléchissez chacun de votre côté.

Je hoche la tête. Avec Georges, il n'y a jamais rien de compliqué. Pourtant, même si son idée a l'air d'être pleine de bon sens, j'hésite, comme si je craignais qu'une séparation temporaire ne devienne définitive. Probablement la peur de mettre la hache dans notre relation ? J'ai déjà fait ça avec une ex, séparation temporaire, pour réfléchir, et comment ça a fini ? C'est tombé en quenouille !

Il vaut mieux être seul qu'en mauvaise compagnie, dit un proverbe bien de chez nous. Mais moi j'ai peur du vide et de l'inconnu. Parce que si Corinne fout le camp...

– Pas tout de suite. Peut-être qu'on pourra parler ce soir et qu'on y verra plus clair ?

– Pour dire quoi ?

J'éclate de rire. Georges a vraiment le don de me dérider, même si ce qu'il vient de dire me renvoie à mes propres contradictions.

– Alors séparez-vous, reprend Georges avec sérieux en me fixant droit dans les yeux. Tu sais, à notre âge, il n'y a plus de temps à perdre.

– Facile à dire ! Et pour trouver quoi ensuite ? Et qui ? Quand t'as vingt ans, trente ans, ça dérange pas de gaspiller le temps et les gens parce que la vie est devant toi. Mais passé quarante, tu sais jamais si celle que tu quittes ne sera pas la dernière. Et ça...

– D'accord, mais quand c'est fini, c'est fini. Ça sert à rien de se faire chier si on s'aime plus, non ?

– C'est toi qui me dis ça ? lancé-je avec une pointe d'amertume.

– Moi, c'est pas pareil. J'ai le sang qui me bouillonne dans les...

Georges jette un regard autour de lui, l'air conspirateur.

– Enfin, tu vois ce que je veux dire !

– Merci, oui, pas besoin de dessin ; grâce à toi, j'ai des images plein la tête !

– Tu devrais peut-être aussi penser à aller voir ton médecin. T'as peut-être les hormones dépressives ?

– Lâche-moi avec tes hormones, veux-tu ?

Georges me prend la main et m'enveloppe d'un regard plein de chaleur. Plutôt que de grimper avec moi sur le sentier de l'antagonisme, ce dans quoi les hommes sont passés rois et maîtres, Georges choisit la douceur de la femme qui roupille loin en lui.

– L'autre jour, je dérapais complètement et tu m'as remis à ma place. Ça m'a fait mal, c'est sûr, mais t'avais raison. Alors aujourd'hui, c'est à mon tour de t'aider. T'es mon ami, Didier, et j'aime pas te voir comme ça.

– Merci, vieux... Ça va aller, je te jure. J'ai juste besoin d'un peu de temps, c'est tout.

Georges me sonde quelques instants, histoire de s'assurer que je ne tente pas de le berner.

– Et puis lâche-moi la main, ça pourrait faire jaser !

– C'est que t'es une belle louloutte, mon Didier, pas vrai ?

Georges a volontairement élevé la voix. Instantanément, quelques regards désapprobateurs se tournent vers nous.

– Espèce de délinquant ! Une chance que je t'aime !

– Une chance que tu m'aies, oui ! subjonctive Georges, le jeu de mots valant bien l'entorse grammaticale. Allez, on s'arrache ?

– On s'arrache.

Dernière gorgée de café et nous voilà en route vers la sortie. Tout en marchant, Georges me prend par les épaules en parlant haut et fort.

– Sais-tu la différence entre un homme et une femme ?

Je secoue la tête.

– Ah ! mon salaud ! J'avais raison de me méfier !

Le rire de Georges résonne encore dans la salle des profs alors que la cloche annonçant la fin de la récréation retentit. Georges est décidément très con, mais Dieu que je l'aime, ce bonhomme !

– Non mais, as-tu vu ce qui est arrivé à Mike ?

Je regarde Mireille avec les yeux d'une vache en pleine rumination, surprise par la chute d'une météorite dans son pré. J'avais les images de ma fin de semaine qui dansaient encore dans ma tête. L'atterrissage est brutal.

– Je le voyais tellement bien avec Debbie !

Je finis de m'extirper de la carcasse de mes pensées moroses, mais je ne comprends pas plus de quoi parle Mireille. Mon étonnement de plus en plus béat détonne avec son excitation quasi hystérique et Mireille finit par s'apercevoir de ma ruminante béatitude.

– Quoi ? Tu n'as pas lu les journaux ? Ça fait la une partout !

Je réfléchis aussi vite que la lumière qui ne se fait pas dans mon esprit.

– Heu... Qui est Mike ? Un nouveau dans la boîte ?

– Corinne ! Tu me désespères !

Le pire, c'est que Mireille a l'air sincère.

– Mike et Debbie..., appuie Mireille avec une lourdeur insistante.

Noir total dans mon cerveau.

– Le couple gagnant de *Fréquentations troubles* !

– Ouf ! Tu m'as fait peur. Je pensais que c'était grave, que...

– Mais C'EST grave ! m'interrompt Mireille en m'assenant un regard courroucé.

Décidemment, je déteste les pauses-café ! Au fond, je préfère travailler. Le temps passe plus intelligemment. Bien sûr, il se trouve toujours quelqu'un pour me rappeler mon absence – comme Laurence, par exemple... tiens, elle n'est pas là ce matin ? – et surtout qu'on ne travaille pas durant la sacro-sainte pause-café ! On n'a pas gagné le droit de vote et la semaine des trente-cinq heures pour se mettre à travailler quand on veut, quand même !

Alors, pour faire bonne figure, et aussi contre mauvaise fortune bon cœur, il m'arrive d'assister à ces quinze minutes de repos syndicalement méritées. En temps euro, ou en mesure impériale, comme je le fais remarquer de temps à autre, soit environ 1,6 du temps réglementaire. *But who cares ?* Mais pour entendre quoi ? Nouvelles de pacotilles et babillages de peuple gâté. De *Fréquentations troubles* on est soudain passés à Noël. Par quel truchement ? Un autre mystère de l'univers !

– Non mais tu te rends compte, ça tombe un vendredi cette année ! lance Nadia les yeux au ciel.

Pendant qu'en Irak femmes et enfants explosent, ici on se plaint que Noël tombera mal cette année ! Un vendredi, non mais quand même ! Où va le monde ? Il va falloir faire une ponction exorbitante dans les banques de congés pour faire le pont !

– Noël ? Mais attendez les filles, on est au mois de juin ! hasardé-je en cachant mal l'irritation que j'ai en permanence à fleur de peau.

Petit silence empreint d'un malaise tout aussi chétif. Il semble évident que je ne suis vraiment pas sur la même planète qu'elles.

– Savez-vous où est Laurence ? demande alors Claudine comme pour combler le silence qui devenait de moins en moins chétif.

Haussements d'épaules et regards au tapis. Soit les filles s'en foutent, soit c'est un sujet qu'il vaut mieux éviter.

– N'empêche que j'ai hâte que *Fréquentations troubles* recommence, soupire Mireille en passant adroitement du coq à l'âne. La télé est assez plate en ce moment !

– Regarde-la pas ! que je m'entends répondre du tac au tac.

– Pour faire quoi ?

– Ben, je sais pas, moi, aller au cinéma ou te promener...

– À propos, murmure Mireille à voix haute, vous avez fini par vous parler, toi et Didier ?

Je fige net. Et comme un fait exprès, un ange passe. Que dis-je ? Un troupeau ! Un rapide regard circulaire m'apprend illico que l'assemblée est suspendue à mes lèvres. C'est lourd à porter.

– Ça s'en vient, finis-je par bredouiller dans mon malaise. Mais au fait, tu me parlais de Mike tout à l'heure. Qu'est-ce qui lui est arrivé ?

Ma retraite stratégique est un succès instantané, car toutes les filles se mettent à m'expliquer en long et en large les affres du couple élu. Dans le tohu-bohu qui m'ensevelit, je comprends tout de même une chose : peu importe les gens, les problèmes humains sont souvent les mêmes. La seule différence étant l'exposition publique que l'on veut bien en faire. Et les moyens que l'on prend, ou pas, pour s'en sortir.

– Mais Mike est d'accord pour faire une thérapie, conclut Mireille sur un ton de complicité. Tout n'est pas perdu !

Une thérapie ? Qu'est-ce que ça m'a donné, à moi, jusqu'à maintenant ? Je ne trouve pas que j'avance vraiment. Au contraire, j'ai l'impression de clopiner à l'aveuglette en donnant ici et là quelques coups d'épée dans l'eau saumâtre de ma vie. En vérité, c'est à deux qu'il faut faire ça, sinon le processus devient une espèce de recherche existentielle du nombril. Mais d'ici à ce que Didier accepte de me suivre... Autant demander à Ben Laden de se convertir à la foi catholique. J'ai plus de chance !

Lucien est venu me parler pendant la récréation. Disons que je l'ai aidé un peu. Je n'aime pas le voir se noyer dans sa solitude. Quand je le regarde aller, rejeté par les autres, comme un naufragé sur une île déserte, j'ai envie d'être sa bouée de sauvetage. Ou son île.

– Si je partais, vous seriez fâché ? m'a-t-il demandé avec ses grands yeux de vieille âme triste.

– Et pourquoi tu partirais ? T'es pas bien ici ?

J'essaie de prendre ça à la légère, mais je sais très bien que Lucien n'est pas dupe. Il n'est pas fou, ce gamin ; il a certainement une idée derrière la tête. Lucien semble réfléchir tout en s'essuyant nerveusement les mains qu'il a moites en permanence. Un autre effet secondaire du traitement artificiel de l'inattention.

– J'haïs l'école, depuis toujours. C'est tout. Est-ce qu'on a le droit de quitter l'école si on veut ?

– Tu sais, tu aurais le droit de rester à la maison si un de tes parents pouvait te faire la classe.

– Alors ça ne marchera pas, répond-il en regardant ailleurs.

– Qu'est-ce qui ne marchera pas ?

Lucien hausse les épaules et retombe dans son mutisme. Les frontières de la pensée sont minces, mais parfois coriaces et infranchissables.

– Tu sais, tu peux me dire beaucoup de choses à moi. Peut-être pas des secrets, mais... je sais pas moi, des choses que tu ne dirais pas aux autres, par exemple.

Lucien me regarde et je crois déceler un semblant de sourire dans son regard.

– C'est vrai que vous êtes différent des autres.

– Comment ça ?

– Vous essayez pas de me faire avaler des trucs de force.

Je regarde Lucien, pas sûr de vraiment comprendre le fond de sa pensée. Ce gamin serait-il brillant au point de tenir un double langage ?

– Les autres, ils veulent juste que j'apprenne. Vous, vous m'écoutez.

– Tu sais, les profs essaient de faire de leur mieux. Ils ont un travail à faire et c'est pas toujours évident.

Mais je vois bien que mon explication n'atteint pas son but. Lucien a besoin de compréhension, pas d'explications.

– Vous connaissez *Le prisonnier* ? demande-t-il soudain.

– Tu veux dire la série télévisée ? Oui, mais comment connais-tu ça ? C'est vieux comme le monde !

– Je la regarde sur une chaîne qui passe de vieilles émissions.

– Super, non ? dis-je en pensant autant à la série qu'à cet enfant qui s'intéresse à autre chose qu'à des émissions débiles pour adolescents.

– Si j'habitais dans *Le Village* de la série, moi aussi je serais le *Numéro 6*.

– Quoi ?

– Vous savez, le *Numéro 6*, joué par Patrick McGoohan, celui qui essaie toujours de s'échapper du village mais qui peut jamais.

Là, j'en ai le souffle coupé. Ou ce gamin est en plein délire ou il est plus vieux que son âge et hyperconscient.

– Quand on ne peut pas faire ce que l'on veut, on est comme des prisonniers, non ?

Qu'est-ce qu'on répond à ça ? Lucien a raison, on est tous des *Numéros 6*, conscients ou non de l'être. Prisonniers d'un système scolaire qui n'éduque plus, d'un travail qu'on n'aime pas, d'une relation étouffante, d'une famille qu'on n'a pas choisie, d'une société en dégénérescence, ou tout simplement du quotidien, de la vie.

Je n'ai rien répondu à Lucien. Juste un sourire. Parfois, il n'y a rien d'autre à faire. Et c'est le mieux que je pouvais faire, de toute façon.

Le miroir de la chambre me renvoie l'image d'une femme que je n'ai pas vue depuis longtemps. Est-ce vraiment moi qui me tiens là, debout, parfaitement nue ?

C'est vrai, je ne me souviens pas de la dernière fois où j'ai pris le temps de me regarder vraiment, je veux dire simplement, honnêtement, sans émotion, avec l'œil froid de la réflexion du miroir. Dans l'ensemble, l'image que je contemple n'est pas si mal. Physiquement. Je ne suis pas du genre à me priver ou à me torturer pour rester mince, mais je ne peux que constater que ma taille est encore assez fine. À peine une petite rondeur au niveau du ventre, l'épanouissement du fond et de la forme.

D'accord, mes seins ne sont plus ce qu'ils étaient. La mine un peu plus basse, certainement. Mais s'ils ont perdu l'arrogance de leurs vingt ans, ils ont gagné quelque chose d'autre. Je leur trouve un air de... plénitude. Par contre, je me suis toujours trouvé la fesse molle ! Et ça n'a pas changé avec l'âge, au contraire... Mais le pire, ce sont mes jambes ! J'ai encore du mal à les regarder tellement je ne les aime pas. Une sorte de lourdeur. Et puis cette cellulite..., il me semble que j'en ai toujours eu ! Héritage maternel pour les cellules, et culturel pour l'aversion.

Pourtant Didier ne m'a jamais fait de remarques déplacées. Alors pourquoi j'ai l'impression qu'il ne me regarde plus ? Du moins plus comme avant ?

Je reviens vers le haut, vers ce visage sans maquillage qui laisse entrevoir quelques lignes écrites par la vie...

« Qu'est-ce que tu as fait de la tienne, hein, Corinne ? Est-ce qu'on peut le savoir rien qu'en te regardant ? Et qu'est-ce que tu es en train d'en faire ? Qu'est-ce qu'elle sera demain si tu continues comme ça ? »

Me revient alors une citation que j'ai relevée dans mon agenda. Je ne me souviens plus de l'auteur, mais ça m'avait touchée :

L'important n'est pas ce que nous avons fait mais ce qu'il nous reste à faire.

Je me regarde droit dans les yeux, comme si c'était une autre que moi qui me confrontait. C'est un nouvel éclat que je crois alors déceler dans les yeux qui m'observent. La colère ne mène nulle part, surtout pas au dialogue.

« Toi, qu'est-ce que tu es prête à faire pour changer les choses ? Vas-tu attendre que Didier fasse le premier pas ? Que la vie décide ? Ça n'a pas marché jusqu'à maintenant. Alors ?... »

La première chose que j'ai faite en me levant ce matin a été d'appeler à la Bibliothèque pour dire que j'étais « souffrante ». Je préfère ce mot au traditionnel « malade ». En réalité, je n'ai fait que dire la vérité : je souffre et j'ai besoin d'une parenthèse dans mon quotidien, une longue inspiration en solitaire.

Cette journée est la mienne, à part entière. Je vais en profiter pour sortir et m'adonner à l'extraversion, histoire de voir plus clair à l'intérieur.

Aujourd'hui, j'ai des décisions à prendre.

L'immensité du ciel me laisse perplexe et songeur. Mais jamais autant que l'étendue de la bêtise humaine.

Lucien est à la dérive. Il n'est peut-être pas le seul, mais moi, ça me saute aux yeux et m'aiguillonne les oreilles, comme l'artificier devant une bombe à retardement égrenant les secondes dans un sinistre cliquetis. Suis-je le seul à m'en rendre compte ou bien les autres ont-ils renoncé à regarder ?

– Vous faites une fixation sur Lucien ! s'est contentée de me répondre la psy avec son sourire de citron pas mûr.

– Écoutez, je le vois dans ma classe jour après jour, et je vous dis qu'il ne va pas bien !

– A-t-il fait quelque chose de particulier ? Violence envers lui-même ou envers les autres, par exemple ?

La question me déstabilise quelque peu, au point que mon air baba semble donner un contentement sublime à la psy patentée.

– Heu... non, rien de particulier, comme vous dites. Mais je ne sais pas, ça se sent...

– Ça se sent ? coupe-t-elle de son ton tranchant de guillotine (je la soupçonne d'ailleurs d'être la réincarnation de M. Guillotin).

– JE le sens, si vous préférez.

– JE ne préfère rien du tout, M. Lécolo...

– Locolo.

– Oui, c'est ça. Mais comment voulez-vous que j'intervienne si vous ne me donnez pas de détails tangibles ?

– Vous ne m'aimez pas, hein ?

C'est la seule réplique que je trouve à lui balancer. Ça a l'avantage de la déstabiliser quelque peu à son tour. Elle et moi, nous n'avons jamais été très copain-copine. Déjà que je n'aime pas les psys, en plus il a fallu que je tombe sur une imbue de sa personne et de sa profession ! C'est à croire qu'elle est investie de la Grande Connaissance Universelle. Je suis sûr qu'elle m'a dans le collimateur depuis le jour où j'ai osé remettre en question la validité de ses tests d'aptitude et de dépistage des problèmes liés au déficit d'attention. C'était lors d'une réunion des profs.

– J'ai lu vos questions et, selon moi, personne ici ne passe le test ! avais-je lancé avec une pointe de sarcasme bien affûtée.

Georges avait éclaté de rire. Et si certains autres profs s'étaient mordu les lèvres pour ne pas sourire, j'ai bien vu que je l'avais blessée, elle, dans sa chair et dans sa superbe. Même si elle n'était pas l'auteur desdits tests.

– Si ma mémoire est bonne, reprend Mme Freud en me sortant de ma brève rêverie, nous avons fait une évaluation de Lucien il n'y a pas si longtemps, n'est-ce pas ?

– Mais je m'en fous de votre évaluation récente ! Il déprime, voilà ce qui lui arrive. C'est pas tangible, ça ?

Je sais, je m'emporte vite, des fois, surtout quand la stupidité de mon interlocuteur dépasse les frontières de ma patience. Quoi qu'il en soit, je sais que l'affrontement est lancé. Et je ne gagnerai pas sur ce terrain puisque Mme Freud a mis Claude, notre cher directeur, dans sa poche depuis longtemps.

– C'est un des effets secondaires normal de la médication, continue-t-elle sur un ton égal et désagréable. Mais vous l'ignoriez, peut-être ?

Silence de ma part qui en dit trop et pas assez.

– Lucien est suivi par son médecin. Vous ne voudriez pas vous substituer à lui, tout de même ? Et ses parents collaborent pleinement. Tout est sous contrôle, donc.

J'ai envie de lui rétorquer que les parents de Lucien sont des absents pathologiques tellement ils sont pris par leur travail ; qu'ils ne collaborent pas mais se reposent simplement sur l'école et le médecin. Autrement dit, ils nous font confiance. Mais, me connaissant, je sais que les mots se bousculeraient et sortiraient de travers sans atteindre leur cible. Sinon pour blesser.

– Vous m'excuserez, mais j'ai du travail, conclut la sondeuse d'âmes en s'éclipsant.

Je vais tout de même tenter d'en toucher un mot à Claude. Peut-être sortira-t-il de son coma administratif ?

Même sans espoir, la lutte est encore un espoir, disait Romain Rolland. L'espoir, probablement le dernier carburant qui me reste pour faire face à la vie plutôt merdique qui est la mienne depuis quelque temps.

Dites, M. Rolland, qu'y a-t-il après l'espoir ?

Ah oui, c'est vrai, j'oubliais : la vie est échevelée, imprévisible, surprenante...

Je ne croyais pas si bien dire...

C'est drôle comment, parfois, le simple fait de parler d'un problème le fait paraître moins grave, voire même s'évanouir. Hier, je m'ouvre un peu à Georges au sujet de Corinne, et voilà qu'aujourd'hui une éclaircie semble poindre à l'horizon de cette autre journée de merde qui agonise.

Incroyable ou miraculeux ?

Je tergiverse encore sur la question. Ce soir, Corinne m'a fait toute une surprise. Pour commencer, j'ai trouvé un mot sur la table de l'entrée, une petite carte dans une enveloppe. Sur le coup, j'ai eu peur. Je pensais que c'était sa lettre de rupture. Et malgré le conditionnement auquel je m'astreins depuis quelques semaines pour prévenir le choc d'une éventuelle séparation, je n'ai pu empêcher un fluide glacial de me traverser l'échine au moment où j'ai vu l'enveloppe. Fausse alerte. C'était une invitation :

« Rejoins-moi aux *Plaisirs divins.* Corinne. xxx »

Rien que le nom du restaurant devrait me faire peur. Pourtant j'y vais, même si je ne sais pas vraiment pourquoi. Si Corinne a fait cet effort surhumain pour, j'imagine, relancer un vrai dialogue ou faire le point, je n'ai d'autre choix que d'accepter l'invitation.

Je ne la repère pas tout de suite en entrant dans les *Plaisirs divins*. Et quand je la vois enfin, j'en ai les jambes coupées ! Corinne est habillée d'une nouvelle robe tout ce qu'il y a de plus sexy et elle a changé sa coupe de cheveux. C'est pourquoi en entrant je l'ai vue sans la voir. J'ai balayé la salle du regard, brièvement croisé le sien, mais j'ai continué une fraction de seconde avant de réaliser que c'était elle. D'ailleurs, Corinne s'est rendu compte de ma méprise et je sais qu'elle en rit intérieurement. Et moi qui n'ai même pas pensé à me changer avant de partir ! J'ai l'impression d'être un mendiant à côté d'elle.

Corinne affiche maintenant un sourire énigmatique auquel je peux difficilement résister. Mystère, mystère, l'éternel appât des âmes curieuses. Je me sens tout gauche en traversant la salle jusqu'à sa table. Quelques regards obliques de clients sur leur trente-six me font sentir encore moins à ma place.

– Ça fait longtemps que tu attends ? dis-je d'emblée pour entamer la conversation et ainsi prouver à l'assemblée perplexe que je suis attendu.

– T'inquiète pas. L'important, c'est que tu sois venu. J'aurais eu l'air folle si tu avais décidé de ne pas répondre à mon invitation !

Petit rire nerveux de Corinne. Maintenant que je suis assis face à elle, je la sens d'une fébrilité plus ou moins bien contrôlée, comme le sauteur qui en est à son troisième et dernier essai. Je subodore soudain la mise en scène. Quel cinéma veut-elle me jouer là ? *La grande séduction* ou *Le dîner de cons* ? À moins que ce ne soit un truc du genre *Le duel* ?

– J'aurais pu ne pas rentrer directement à la maison, dis-je avec une pointe de défi.

– Ça ne m'a même pas effleuré l'esprit, répond Corinne avec la désinvolture d'un acrobate.

– On peut dire que t'avais confiance ! relancé-je avec l'assurance d'un vendeur itinérant. Surtout que Georges m'a invité comme d'habitude à prendre un verre après les classes. Mais pour une fois, on a fait ça vite.

– Si l'apéro est déjà pris, alors on peut commander ! D'autant plus que moi aussi je ne t'ai pas attendu pour les préliminaires !

Corinne me fait un subtil clin d'œil puis avale d'un trait le reste de son verre. La connaissant, ça doit être un *Val ambré* ou un *Pineau*. Son regard pétillant m'informe d'ailleurs que ce n'est peut-être pas le premier. La seconde d'après, Corinne a le nez dans le menu et certainement une idée en tête. C'est elle qui a les commandes et il est évident qu'elle veut les garder. Bon, d'accord, je décide de lâcher du lest pour voir venir. Vas-y Corinne, surprends-moi !

– Les escargots sont absolument divins ici. Ensuite, je te conseille le gibier. Ils ont une façon de l'apprêter en sauce...

Ses yeux pétillent vraiment de plaisir. Outre l'alcool qui annihile les barrières, Corinne est la sensualité même, ce soir. J'ai l'impression de découvrir une nouvelle femme. Quel contraste avec celle qui fulminait l'autre soir sur notre terrasse ! Où est le truc ?

– On dirait que tu connais bien. Tu es déjà venue ici ?

Le temps semble se mettre à « pause » pendant une fraction de seconde, juste assez pour qu'un ange gonflé aux stéroïdes pique un sprint d'enfer. Ou peut-être est-ce moi qui fabule et imagine ce malaise que je vois passer comme une ombre fugace dans la pupille de Corinne ? Ou bien est-ce le reflet de la chandelle dans ses beaux yeux noirs ?

– Party de Noël.

Eh bien, voilà ! Je m'en veux de voir le mal et la suspicion partout.

– Alors ce sera comme tu dis : des escargots en entrée, le filet de bison dans sa sauce aux cerises de terre et... tu me laisses choisir le vin.

Corinne me lance un clin d'œil suggestif.

– À vos ordres, monsieur. Mais si je peux me permettre...

– Chut ! Plus un mot. Donne-moi la carte.

* *
*

La soirée au restaurant s'est déroulée comme dans un navet américain : fade et en douceur. Ce n'était vraiment pas du grand cinéma ! Certainement pas *Le dîner de cons*, et encore moins *Le duel* de Spielberg ! D'accord, la bouffe était bonne et le vin délicieux (et aussi capiteux et abondant !). Bref, nous avons pourtant parlé de tout, mais surtout de rien. Et c'est bien ça, le problème. Je pensais que Corinne chercherait à mettre les choses au clair, posément, sans émotivité déplacée, d'où le choix du restaurant. Atmosphère calme et intimiste, chaleur et volupté, tout ce qu'il faut pour ressouder deux amants en perdition. Mais non. Que des propos aux frontières de la banalité, et des souvenirs heureux.

– Te souviens-tu de notre première rencontre ?

Tu parles si je m'en souviens ! Mais passons sur les détails.

Je me suis laissé prendre au jeu par peur de confronter nos vies en parallèle, nos deux malaises. Corinne a joué le jeu de la séduction, et j'ai fait semblant de ne rien voir. Ou de ne voir que sa séduction.

Quand nous pénétrons dans la maison, Corinne est, pour employer un mot politiquement incorrect, soûle ; moi je suis en voie de me dégriser. Au fond, je ressens comme une vague nausée, un mal de mer qui n'a rien à voir avec le vin. Ni avec la mer. J'ai honte de moi et de ma couardise. Corinne joue le jeu du « On efface tout et on recommence. Il ne s'est rien passé, il y a eu maldonne et on reprend depuis le début. Prise deux, action ! ».

Mais ça ne marche pas comme ça, Corinne. On ne peut pas simplement faire comme si rien n'avait été dit, comme si rien n'avait été fait. En tout cas, moi je ne peux pas. On s'est enfoncés dans des ornières en s'éclaboussant mutuellement. On s'est fait mal tous les deux. On ne peut pas juste mettre du plâtre sur les fissures qui se creusent entre nous.

Mais dans le fond, plus j'y pense et plus je me dis que c'est ma faute, puisque c'est moi qui me suis refusé à parler chaque fois que Corinne essayait de m'en donner l'occasion, même maladroitement. C'est moi qui lui ai donné toutes les raisons pour retraiter, se fâcher, changer de stratégie.

Je suis tellement pris dans mes pensées que je n'entends pas Corinne m'appeler du salon. Quand je reprends conscience du temps qui passe autour de moi, j'ai deux verres de Chicoutai dans les mains et il me faut quelques secondes supplémentaires pour réaliser que Corinne est sortie de sa robe tout ce qu'il y a de plus sexy.

– Viens près de moi...

Si sa nudité en disait déjà long, le ton de sa voix est tout un discours. Pourtant, je reste figé devant ce spectacle, comme si je découvrais cette femme pour la première fois, comme si le charme factice de cette soirée avait fini par m'envoûter pour de bon. Je me surprends à détailler chaque aspect de son anatomie avec une curiosité renouvelée. Corinne est belle dans l'aube de sa quarantaine. Rien à envier aux plus jeunes.

La chair est faible, surtout celle des hommes. Au diable le passé ! Le moment présent m'appelle et je n'ai plus envie de lutter. J'avale mon verre d'une traite pendant que Corinne prend l'autre verre et le pose sur la table du salon. Le reste n'est qu'un tourbillon de vêtements violemment arrachés, un mélange de chair et de passion. Corinne est partout, déchaînée comme une mer en furie. Sa bouche embrase chaque partie de mon corps, consumant du même coup tous mes remords et mes questions. Nous faisons l'amour comme deux aveugles qui auraient temporairement retrouvé la vue, avec la violence débridée d'une rivière brisant ses glaces au printemps. Quand les derniers soubresauts de nos étreintes s'échappent dans un dernier soupir, nous sommes lessivés, ivres d'odeurs et de fatigue, fondus l'un dans l'autre. La nuit est douce et tiède. Elle sera notre seule couverture.

Quand je me réveille au petit matin, je suis seul et grelottant. Corinne a déjà rejoint le lit, seule, elle aussi.

Baiser fait du bien. Boire, un peu moins. Surtout quand on dépasse la dose prescrite par notre corps. Et l'un et l'autre ne règlent rien. Boire ou séduire, il faut choisir !

Ce matin, j'ai mal à la tête. Je repense à cette soirée et je me sens nulle. J'ai voulu recoller des morceaux sans prendre le temps d'y mettre de l'ordre. Et puis, je n'aurais pas dû boire tant. Je pensais me donner du courage pour parler des vrais problèmes. Ouvertement et sans animosité. Tout ce que j'ai réussi à faire est de me rendre ridicule. Une fois l'alcool bien insinué dans mes veines, je n'avais plus envie de parler. À part pour dire des conneries et des banalités. Tout allait bien tout d'un coup ! *Fuck* les problèmes ! La vie est belle ! Je ne voulais que du plaisir.

J'ai décidé d'envoyer un courriel à Francine, ma meilleure amie. Où qu'elle soit et quoi qu'elle fasse en ce moment, je lui raconte ma vie depuis qu'elle est partie. Elle va probablement tomber des nues en lisant mon roman fleuve, car c'est la première fois que je lui parle de mes problèmes. Ma relation avec Didier était déjà un peu bancale avant que

Francine ne parte pour son long congé sabbatique, mais je mettais ça sur le dos de LA vie, les hauts et les bas normaux de la grande saga des couples.

C'est dur d'admettre qu'on s'est peut-être trompée. Que l'homme qu'on a trouvé n'est peut-être pas le bon. Chaque nouvelle journée apporte une nouvelle couche au petit confort de notre quotidien. Et on n'ose plus sortir de dessous la couverture. Il y en a qui passent d'une relation à l'autre comme on déménage chaque premier juillet. Pas moi. J'en suis incapable.

Peut-être que Francine ne lira pas ce message avant longtemps. Qu'importe. Que ce soit dans une semaine ou dans un siècle, le principal est d'écrire. Communiquer est thérapeutique.

Mais est-ce que toutes les bouteilles qu'on jette à la mer finissent un jour par trouver une oreille attentive ? Combien vont aller s'échouer sur les plages désertes de l'indifférence ou du mépris ?

« Envoyer »

Mais pas avec Francine. Même si je sais qu'elle me répondra un jour ou l'autre, qu'elle le fasse ou pas est secondaire. Au fond, en envoyant ce message dans l'univers, même virtuel, j'attends quelque chose en retour. Que ça vienne des étoiles ou du destin, de l'infini ou de mon plombier. Une révélation, une réponse, ou la bonne question. Un signe, quoi.

C'est aujourd'hui mon examen annuel, rien que pour voir si la machine ne brûle pas trop d'huile ou si la pompe à existence n'a pas de fuites. Un petit crochet par la clinique avant d'aller à l'école et je serai fixé. Demain, c'est au tour du dentiste. Tant qu'à faire.

Pierrot est mon médecin de famille depuis quelques lustres déjà. Il me connaît de fond en comble, physiquement surtout. Il tâte et palpe, soulève et soupèse, et, jusqu'à présent, il s'est contenté de hocher la tête ou de pousser quelques grognements aussi compréhensibles que son écriture. Je sais que l'examen tire à sa fin et que nous approchons du bouquet final. Pierrot enfile une paire de gants de latex qu'il enduit d'une généreuse couche de gel lubrifiant. Je suis déjà couché sur le côté, les genoux repliés, et j'attends...

– Respire normalement, veux-tu ?

Pierrot m'introspecte le fondement avec la douceur et l'attention d'une sage femme avant de me déclarer apte à continuer à vivre.

– Tout cela me paraît bien beau. As-tu des relations sexuelles régulièrement ?

C'est idiot, mais je me mets immédiatement sur la défensive.

– Quoi, tu veux savoir si ça va bien avec Corinne ?

Pierrot s'arrête d'écrire dans mon dossier et me regarde par-dessus ses lunettes.

– Je voulais juste te dire que plus tu as une vie sexuelle active, moins tu as de chances de t'engorger la prostate.

– Est-ce que c'est vrai au moins ?

– Que ce soit vrai ou pas, il y a des choses plus désagréables, non ?

J'élude la question par une pirouette de haute voltige.

– Le reste, c'est bon ?

– J'ai rien vu d'anormal. T'iras faire ta prise de sang et le test d'urine comme d'habitude et on verra pour le reste quand j'aurai les résultats.

Pierrot me dévisage une fois de plus et je me sens mal à l'aise.

– Ta machine fonctionne normalement et, d'après ce que je vois, tu l'entretiens comme il faut. Mais des fois, c'est ce qu'on ne voit pas qui est le plus dangereux.

– Tout va bien, je te jure.

– Écoute, Didier, pas besoin d'être iridologue pour lire dans tes yeux.

– Bravo pour la figure de style, mais je te préfère en médecin. Alors raconte...

– Tu me fais de la peine, Didier. On se connaît depuis assez longtemps, non ? Une petite déprime, peut-être ?

– C'est ça, et dans cinq minutes tu vas me prescrire une de tes pilules du bonheur.

– Arrête tes conneries, tu sais très bien que je ne suis pas comme ça.

– Excuse-moi, je suis un peu tendu ces temps-ci.

– C'est bien ce que je te dis. Évacue, maudit bordel, évacue !

Je regarde Pierrot un instant et je ne peux m'empêcher d'éclater de rire. Lui aussi, d'ailleurs.

– T'as le don des images fortes, Pierrot, savais-tu ? Tu me fais penser à quelqu'un.

Je me lève et je lui serre chaleureusement la pince.

– Merci, Pierrot, t'es un vrai pote.

– Y a pas de quoi. Mais n'oublie pas ce que je t'ai dit. Parle à qui tu veux, mais parle. Évacue, bon dieu !

– Est-ce que ta femme t'a déjà trompé ?

Georges se fige et me regarde, la bouche grande ouverte. La bouchée de sandwich qu'il s'apprêtait à engouffrer est en sursis. Le temps flotte un peu et, comme d'habitude, un ange en profite pour faire une petite saucette en silence. Puis les mâchoires de Cro-Magnon referment leur étau sur le spécial pain blanc *baloné*. Mastication appliquée, mandibules et sucs gastriques au travail ; j'attends. Mais le silence demeure entre nous, je pourrais presque entendre les enzymes de Georges s'activer. Moi, je ne mange pas. Pas faim. On dirait que l'estomac ne réclame pas son dû quand on est inquiet.

– Désolé, vieux, je ne voulais pas t'importuner avec mes questions existentielles. Des projets pour les vacances ?

– Non.

– Tu m'avais pas dit que tu voulais aller en Gaspésie ?

– Non, ma femme ne m'a jamais trompé.

– Ah ?

– Et oui, je vais en Gaspésie.

– Comment tu peux en être sûr ?

– Parce que j'ai réservé trois semaines dans un chalet, en plein bois, près d'un lac. Les voisins les plus proches sont à un kilomètre.

– Mais ta femme...

– Je le sais, c'est tout.

– Ah bon !

Georges finit d'avaler le reliquat de son sandwich. Déglutition mesurée avant d'attaquer le dernier droit de sa réflexion.

– Tu te poses trop de questions, Didier. Ça fait longtemps que j'ai compris qu'on finit toujours par trouver ce qu'on cherche, même quand ça n'existe pas.

– Et ça donne quoi dans un français normalisé ?

– Ça veut dire que si tu veux absolument trouver la bête noire, eh bien, tu vas finir par en trouver une.

Cet *homo erectus* m'étonnera toujours. Je m'attendais à ce que Georges me dise qu'il ne s'occupait pas des histoires de sa femme, ou quelque chose du genre. Mais non, il me balance une maxime philosophique à faire sourciller le Socrate qui sommeille en moi. J'observe le cure-dents entre les lèvres pincées de mon ami. L'objet se promène comme par magie d'une commissure à l'autre, certainement conduit d'une main de maître par une langue aussi habile qu'adroite entre les dents.

– C'est beau la confiance. Alors, pas de jalousie ?

Le cure-dents fait une pause.

– *La jalousie est un monstre qui s'engendre lui-même et naît de ses propres entrailles...*

L'ange de la saucette revient suspendre son vol entre nous. Et l'ange et moi restons cois, bouche entrouverte, le souffle coupé. Je ne m'y fais pas et ça me surprend toujours quand Cro-Magnon balance une sentence aussi appropriée qu'inattendue. C'est à croire que Georges a une réserve de phrases toutes faites soigneusement étiquetées dans sa mémoire.

– Shakespeare... Tout ce que je veux te dire, Didier, c'est qu'on est humain et qu'on semble être sur terre pour faire notre lot de conneries. Alors ça donne rien de se faire chier plus que nécessaire. Tu vois, si j'aime encore ma femme, c'est qu'il y a quelque chose de plus fort entre nous, quelque chose qui nous permet de nous pardonner nos travers et nos faiblesses et de continuer ensemble.

– Alors tu peux te permettre de la tromper sans problèmes...

– T'as rien compris, Didier ! On se parle, c'est tout. C'est sûr qu'on a amputé quelques-uns de nos services à vaisselle et qu'on s'est foutu pas mal de claques, mais on est toujours restés honnêtes, au risque de tout casser. Henriette a peut-être été fourrer son nez ailleurs que dans mon slip, ça, ça me regarde, mais elle ne m'a jamais trompé. Tu piges ?

– Te fâche pas, Georges, je crois que j'ai pigé.

– Je suis pas fâché, mais j'aime pas ça te voir dans cet état à cause d'une femme. Je te dis pas que ma recette marche pour tout le monde, c'est notre équilibre à Henriette et moi, mais tu dois trouver ta propre recette. Tu comprends ?

– Merci, Georges, je comprends. T'as foutrement raison, même si je sais très bien que ça ne marcherait pas avec Corinne. Mais t'en fais pas, je vais survivre.

Georges esquisse un sourire en me prenant par les épaules. Même s'il me brasse tendrement la cage à sa façon, comme il dit, j'ai l'impression de subir un mini-tremblement de terre.

– Je m'en vais à Québec en fin de semaine. Tu sais, l'atelier d'écriture dont je t'ai parlé... Bref, je suis sûr que ça me fera le plus grand bien.

Georges m'affiche un sourire grandeur nature appuyé d'un clin d'œil sans équivoque.

– Éclate-toi, mon vieux, éclate-toi et oublie le reste !

– C'est un encouragement à quoi ça ?

– À rien, vieux, à rien ! C'est ta vie, pas la mienne.

Georges me lance une dernière bourrade à me décrocher les poumons avant de s'attaquer à la suite de son casse-croûte. Autour de nous, le monde des vivants est toujours là, bien vivant.

– C'est quoi, ton but ?

– Pardon ?

Didier me regarde comme s'il tentait de découvrir un piège derrière ma question. Je le comprends un peu. Depuis ma dernière colère, moi-même je me méfie ! Et à la suite de la grande soirée du restaurant, disons qu'une certaine dose de gêne et de méfiance est venue compliquer les choses. À moins que ce ne soit une façon d'éviter la spontanéité, un truc de gars pour laisser le temps de forger sa réponse ? C'est vrai que les hommes sont forts à ce petit jeu. Mais peut-être aussi que les ragots de bureau sont en train de vraiment me polluer la conscience ? Toujours est-il que Didier prend le temps de boire une gorgée de café. C'est vrai, j'oubliais, le premier café du matin, c'est sacré. Pourtant, je réitère ma question.

– C'est quoi, ton but ? Je veux dire, dans la vie ?

– Pourquoi tu ne m'as pas posé cette question l'autre soir, ou même sur la terrasse ? Il me semble que ç'aurait été le moment idéal plutôt que de parler de choses insignifiantes ou de péter les plombs, non ?

Je détourne les yeux pour ne pas montrer mon dépit. Je sais que ce serait facile de succomber à l'antagonisme habituel, une sorte de légitime défense, en l'occurrence. Surtout que je trouve que Didier la joue en salaud en faisant intervenir la culpabilité. Même s'il a raison sur le fond, je décide tout de même d'ignorer le commentaire.

– Est-ce que j'ai un droit de réflexion ? continue Didier avec une pointe d'ironie bien acérée.

– Je suis sérieuse, Didier. Et je ne cherche pas la bagarre. Je me demande simplement ce qu'on fait ensemble. Est-ce qu'on a encore un but en commun ? Est-ce qu'on n'en a jamais eu un, d'abord ?

Didier me regarde soudain avec un air grave. Le calme que je m'efforce de faire exsuder de tout mon être semble avoir décapé d'un seul coup son vernis social de rigolo. Et comme à présent je ne cesse de le regarder droit dans les yeux... Ses sentiments émergent comme des bulles d'oxygène libérées du plus profond de son âme.

– Je ne sais pas..., finit-il par bredouiller. C'est difficile à dire... peut-être trop compliqué ?

– La vérité est simple, c'est notre inaptitude à la voir en face ou à la dire qui rend les choses compliquées.

Je n'avais aucune intention cachée en disant cela, pas même la moindre idée de marquer un point. Pourtant, je sens que le coup a porté.

Le regard de Didier se voile un instant, comme s'il avait regagné ses remparts pour se préparer à contre-attaquer. Mais le voile s'étiole rapidement et Didier refait surface. J'ai l'impression de l'entendre penser, comme s'il cherchait à forger ses phrases de façon à ce qu'elles s'écoulent sans heurts et ne blessent pas. Les hommes ont beau se prendre pour les maîtres de la création, ils ne savent pas mentir. Le moment est rare et j'en profite. J'ai la sensation d'être une funambule qui vient de retrouver son équilibre après une lutte avec son fil de fer. C'est fragile et précaire. Le vide attire toujours quand on le regarde en face.

Et puis, soudain, j'ai peur de ce que je pourrais entendre. Les secondes s'écoulent en un amalgame d'inconfort de plus en plus palpable et douloureux. J'ai voulu faire la fière et prendre le taureau par les cornes, et me voilà tremblante face au silence. La question qui sort de mes lèvres semble ne pas venir de moi.

– As-tu quelqu'un d'autre ?

Je me surprends moi-même, et pourtant, je ne lâche pas Didier du regard. Nous, les femmes, savons que la réponse des yeux prime celle des mots. Regarder ailleurs aurait été un aveu de faiblesse, de crainte d'apprendre l'insupportable. Mais le courage de regarder la vérité droit dans les yeux a son revers.

Un voile, fugace et tellement mince qu'il n'est déjà plus là. Pourtant, je l'ai vu, et c'est un courant d'air glacé qui m'enveloppe aussitôt. Orgueil ou résignation ? Je fais un effort surhumain pour ne rien laisser paraître. Mais je me sens blessée, même si Didier ne m'a rien dit, comme si j'avais moi-même forgé la réponse que j'attends encore et qui tarde à venir. Toujours mauvais signe.

– Ne dis pas de bêtises, finit par articuler Didier en baissant les yeux. Mais mon histoire de livre, c'est sérieux, tu sais ? J'y tiens, même si je ne sais pas jusqu'où ça ira.

Manœuvre habile pour ne pas s'étendre sur la question de la fidélité ? D'un côté ça me soulage, car je n'avais plus envie d'en parler, mais d'un autre côté ça me fâche parce que Didier a réussi à s'en tirer sans dégâts. Et revenir sur le sujet ressemblerait à de l'acharnement.

– Et moi dans tout ça ?

La question est sortie sèchement, plus que je ne l'aurais voulu. Ce que l'on ne contrôle pas finit par nous dominer, et c'est exactement ce qui m'arrive avec ces émotions contradictoires qui m'habitent et refont surface au moment où je ne m'y attends pas. Tantôt je suis un Bouddha de sérénité, et la seconde d'après une harpie prête à lacérer la bonté de Mère Teresa elle-même.

– Quoi, toi ?

– Oui, moi. Où est-ce que je me situe dans tout ça ?

– C'est un but personnel que tu m'as demandé, réplique Didier comme en écho à mon ton cassant.

– Pas du tout. Je t'ai demandé c'est quoi ton but. Point. Et je vois bien que je n'y figure pas !

Didier se rembrunit soudain en se redressant. On dirait un coq sur ses ergots, prêt à bondir. Nous sommes retombés dans nos ornières respectives. Chacun de nouveau derrière ses remparts. Une fois de plus. Attention, les volées de flèches arrivent ! Sortez les catapultes ! Montez aux créneaux !

– Non mais attends ! Je pourrais te poser la même question !

– C'est vrai. Mais tu ne l'as pas fait. J'en conclus donc que ça ne t'intéresse pas.

Ça y est, j'ai encore l'impression qu'une autre personne parle à ma place. Et le pire est que je me sens impuissante face à ça. Comme si j'étais incapable de retenir les mots qui, pourtant je le sais, vont finir par blesser.

Didier me regarde, de nouveau impassible, du moins en apparence, puis soupire profondément et se lève.

– C'est ta psy qui t'a conseillé de baiser avant de parler, histoire de faire oublier la colère ? Il me semble que c'est l'inverse habituellement pour les femmes, non ?

Je hausse les épaules, mais je n'ai même pas envie de répliquer. De toute façon, ce n'était pas une question, juste une autre flèche que Didier a tirée avant de s'éclipser. Je suis sûre qu'il le sait, tout comme moi : certaines guerres semblent perdues d'avance, d'un côté comme de l'autre.

Ce matin, j'ai évité une catastrophe. Je ne parle évidemment pas de l'esclandre du petit-déjeuner avec Corinne. Ça, c'est devenu du quotidien. Mais c'est probablement en raison des turpitudes de notre vie actuelle que j'avais négligé notre jardin de Provence. Il a fait particulièrement chaud et sec ces derniers jours. Et même si Corinne s'en était occupée en fin de semaine, les plantes et les fleurs criaient à l'agonie dans leur langage végétal et muet.

C'est d'ailleurs en arrosant mes fleurs au bord de la catalepsie hydroponique que j'ai réalisé que toute chose, entité ou organisme non entretenu finit par mourir. Donc, un couple aussi. C'est une vérité de La Palice, bien sûr. Même un enfant n'ayant pas l'âge de raison comprendrait cela. Et pourtant, comme toutes les vérités simples et évidentes, cette vérité est oblitérée par un quotidien soporifique et aliénant. Essayez de vous rappeler le dernier vrai repas en famille, sans télé, sans journal, sans téléphone. Le dernier verre pris avec les amis sans urgence ni rendez-vous qui attendait. La dernière fois que vous avez dit « je t'aime » à vos enfants. La dernière fois que vous avez offert des fleurs à votre femme. (Tiens, oui au fait, c'était quand ?)

À mesure que le monologue défile dans ma bulle solitaire, la culpabilité se fait un nid douillet dans mes pensées. Et quand je suis seul dans ma tête, mon orgueil devient diaphane et ridicule. D'accord, le couple n'est pas un organisme unicellulaire. Deux êtres amoureux ne font jamais un, malgré tout ce qu'on peut dire. Ils restent deux êtres à part entière. N'empêche que, dès le moment où nous décidons de partager la vie d'une autre personne, nous avons une responsabilité envers elle. N'est-ce pas monsieur de Saint-Exupéry ?

Tu deviens responsable pour toujours de ce que tu as apprivoisé[*].

Un jour, Corinne m'a demandé si je continuerais à m'occuper d'elle si jamais elle devenait handicapée d'une façon ou d'une autre. Je ne me rappelle plus la réponse que je lui avais bafouillée à ce moment-là. Probablement quelque chose du genre : « Bien sûr ! Qu'est-ce que tu vas chercher là ? » Mais je me rappelle très bien ce que j'ai pensé, par exemple : « Commençons par nous occuper l'un de l'autre en temps normal. »

Dans le fond, peut-être que le marasme de notre couple ne date pas d'hier. Ou, à tout le moins, les prémices du déclin ont toujours été là, rampantes et n'attendant que le moment propice pour s'éveiller. Je traîne mon propre boulet depuis pas mal de temps déjà. Et si je ne m'en libère pas d'une façon ou d'une autre, il va finir par m'entraîner au fond.

Mais qui ou quoi est le vrai boulet ?

En attendant de trouver la réponse, il faut que je me grouille. Mon dentiste m'attend.

---

* *Le petit prince.*

La vie, c'est comme une boîte de chocolats, on ne sait jamais sur quoi on va tomber.

Je ne peux m'empêcher de penser à la fameuse réplique du film *Forrest Gump* en lisant le courriel que je viens de recevoir.

Non, ce n'est pas Francine. Mais ce courriel a de quoi me dérider. Il y a quelque temps, je me suis inscrite sur un site Internet qui nous permet de retrouver nos anciens amis et amies d'école, de collège ou d'université. « Amis d'autrefois », ou quelque chose du genre. Nostalgie du bon vieux temps révolu ? Peut-être. De toute façon, le passé paraît toujours plus beau que ce qu'il était au présent. Les filtres du temps...

Bref, Benoît Dompierre m'a écrit. Mon ancienne flamme du collège.

J'ai l'impression que la pièce est en train de basculer autour de moi tellement les souvenirs se bousculent aux portes de ma conscience. Quelque vingt ans nous séparent, et pourtant tout paraît si proche encore, si réel... Le passé vient nager à la surface du présent.

Lui et quelques autres ont formé un genre de groupe d'anciens élèves du collège et ils m'invitent à un party de retrouvailles. Les noms défilent sous mes yeux et les visages remontent du passé, comme un diaporama qui contiendrait les voix, les odeurs, les émotions...

Francis, Isabelle, Jean-François, Martine, Arnaud... Les rires, les pleurs, les mauvais coups, les amours, brèves ou passionnées... Est-ce que c'était ça, la vie, le bonheur, et je ne le savais pas ?

Message in a bottle. Au moins une bouteille à la mer qui a trouvé un rivage habité ! Mes « amis d'autrefois » ont lu ma petite lettre. *In extremis,* juste à temps pour leurs retrouvailles annuelles. Je suis la bienvenue, désirée, même.

En m'inscrivant, je voulais retrouver ce passé déjà loin. Et pourtant, soudain j'ai peur, là, maintenant. Peur de ne retrouver que les ombres des fantômes que je me suis imaginés. Les années passent et le temps ravine nos rêves, nos ambitions et nos croyances, plus encore que les visages et les corps. Mais j'ai peur aussi de retrouver des histoires pas terminées...

Je sursaute soudain en voyant la date des retrouvailles... Elle tombe cette fin de semaine, soit en même temps que le séminaire de Didier à Québec. Bon, d'accord, ça fait un peu « arrangé avec le gars des vues ». Mais quand même, elle est bonne, celle-là ! Un fou rire m'envahit aussitôt. Quelques larmes aussi. Tristesse ou joie ? Peu importe, ces soubresauts me dépoussièrent l'âme comme une vieille couverture qu'on secoue au printemps. J'en ai mal aux côtes, mais ça fait du bien.

« Si tu attendais un signe, ma vieille, eh bien, ne cherche plus ! »

Il ne faut souvent qu'une fraction de seconde pour prendre une décision, quelle que soit la situation. Une décision qui peut changer le cours de notre vie, pour le meilleur ou pour le pire...

Mes doigts s'agitent soudain sur le clavier. Ma réponse est brève, et positive.

Quand j'appuie sur la touche « Envoyer », j'ai pleine conscience que je viens d'entrouvrir une porte jusque-là invisible et imprévue. Mais n'est-ce pas ça, l'existence, un long couloir bordé d'une succession de portes ? Des portes qui resteront fermées à jamais, et d'autres qu'on ouvre et qui débouchent sur d'autres longs couloirs, et d'autres portes ?

Jusqu'à ce qu'on atteigne l'ultime et dernière porte.

Qui aime aller chez le dentiste ? Je pense que sur la liste des mal-aimés de la médecine, le dentiste vient immédiatement après le psychiatre. Peut-être très loin derrière, d'accord, mais je connais tout de même peu de gens qui se lèvent le matin guillerets et enthousiastes à l'idée d'aller s'étendre sur le fauteuil du pro de la dent.

À part Corinne.

– Ça ne me dérange pas du tout, m'avait-elle dit une fois. Au contraire, ça me détend !

Ça te détend ??!! Te faire jouer dans la bouche avec un marteau piqueur et des meules rotatives ? Que penses-tu du massage à la chenille de char d'assaut ? avais-je pensé en mon for intérieur complètement baba.

– À mon dernier nettoyage, je me suis même endormie.

Et moi je sors de mon corps ! Sans blague, personnellement, je ne reprends mon souffle qu'une fois rendu à au moins deux cents mètres de mon arracheur de dents patenté. Richard, qu'il s'appelle. Et ce matin, il est en grande forme.

Le fauteuil des supplices descend doucement jusqu'à ce que j'aie la tête plus basse que le reste du corps. Ça y est, nous y sommes. J'en ai déjà des palpitations !

– Confortable ? demande mon bourreau de service.

Au mieux, je me sens comme Louis XVI sur la planche de la guillotine, prêt pour le grand départ. Richard sourit derrière son masque bleu poudre. Il braque sa lampe de flic sur mon visage et me voilà soudain complètement ébloui. Confortable ? Je suis déjà exsangue et au bord de l'apoplexie ! Mais Richard n'y prête pas attention ; il est habitué. Il brandit alors une seringue de vétérinaire avec une aiguille assez longue pour aller scruter ma prostate et l'enfonce délicatement dans ma gencive.

– J'y vais tout doucement... làààà...

C'est vrai, ça pique à peine. J'ai pourtant la sensation d'être transpercé d'une oreille à l'autre comme un fakir qui se serait glissé délicatement un sabre en travers de la tronche. Après quelques secondes interminables, Richard extirpe l'outil de mon organisme pétrifié.

– Je reviens dans dix minutes, Didier.

Mais prends tout ton temps, cher Richard. Va te magasiner une auto ou un chalet si tu veux, je repasserai. C'est avec mon dentiste que ma procrastination s'exerce le mieux. Si sa secrétaire oublie de me rappeler pour confirmer un rendez-vous, c'est sûr que je passe tout droit. Même si je sais pertinemment que ce genre d'attitude me mène directement vers des ennuis plus importants. Comme ce matin, par exemple, une carie qui s'est vicieusement insinuée derrière un vieux plombage que j'aurais dû remplacer depuis belle lurette.

En attendant, il faut que je lutte contre mon stress. Penser à autre chose... n'importe quoi de chouette... Je ferme les yeux pour tenter de relaxer... Ah ! une belle plage de sable fin, de belles filles en bikini qui batifolent dans l'eau turquoise... Eh bien, oui, quoi, des belles filles ! C'est tout de même mieux que de penser à la prochaine vidange de l'auto ou à mon testament que je suis censé faire depuis des lustres. Et puis ce sont mes pensées, non ? Bon ! D'ailleurs, il me semble même sentir la caresse du soleil. Si je continue ainsi, je vais finir par m'y croire vraiment. Je sens que le réveil va être brutal !

Tiens, c'est bizarre, je crois avoir perçu une petite brise, comme un infime déplacement d'air près de moi. Le rêve devenu réalité ? J'ouvre une paupière et je sursaute en voyant le visage de Richard entrer dans mon champ de vision. Merde ! les filles se sont barrées avec la plage ! Richard affûte ses outils et prépare sa machinerie. Déjà dix minutes de passées ? Je me tâte l'intérieur des joues avec ce que je pense être ma langue... C'est vrai, on dirait que j'ai une marmite de papier mâché à la place de la bouche. Bon ! il faut plus que jamais penser à autre chose pour chasser mon angoisse... Vite ! Mais quoi ? Les filles ne veulent pas revenir et l'horizon de mes pensées reste aussi vierge que la pucelle d'Orléans. Alors je scrute ce que j'ai sous les yeux : le plafond. Mais les plafonds de bureaux de dentistes sont désespérément uniformes et ennuyeux. Tuiles acoustiques, bouches de ventilation, néons..., le paysage n'est pas des plus inspirants ! Mais comment Corinne fait-elle, nom de...

Je réalise soudain que Richard me parle ; depuis le début de ses manipulations, probablement.

– J'en ai déjà cinquante pages d'écrites. Je suis sûr que tu aimerais ça.

Après de longues secondes de réflexion, je finis par piger : son livre. Richard s'est mis en tête d'écrire un roman. Non content d'avoir la langue bien pendue hors de sa poche, mon dentiste a la plume facile comme il a le cure-dent dextre. Et puisque je suis prof de français et que je lui ai moi-même touché un mot de mes propres desseins littéraires... Bref, lors de mon dernier nettoyage, il m'avait glissé son idée de projet entre deux succions salivaires pendant que son assistante me polissait un sourire à la menthe.

– Alors, si tu veux, la prochaine fois, je t'apporte mon bout de manuscrit. Qu'est-ce que t'en penses ?

Les dentistes, et particulièrement Richard, ont la fâcheuse habitude de poser des questions auxquelles ils sont sûrs de ne jamais avoir de réponse claire et intelligible.

– Huchmmmummm..., finis-je par susurrer entre ses doigts, l'instrument de torture qu'il manipule et la pompe à salive. (Traduction : je ne suis pas sûr d'avoir le temps, Richard...)

– D'accord, c'est peut-être intéressé de ma part, mais je suis content de t'avoir comme patient. Prof de français... Moi je te plombe les dents, toi tu allèges mes textes. On fait la paire, tu crois pas ?

– Hmmmmmmm ! (Je n'ai jamais lu un seul de tes textes, Richard !)

– C'est vrai qu'on se connaît depuis pas mal de temps, hein ? Combien déjà ?

– Humphmmmph !! (Richard j'me noie dans ma salive !!)

– Tu vois, moi j'aurais dit au moins dix ans !

Et, aussi incroyable que cela puisse paraître, Richard replace le suceur à trop-plein salivaire qui s'empare illico de quelques litres de liquide organique *non grata.* Comprendrait-il vraiment ce que je murmure ou est-ce une sorte de don extrasensoriel propre aux dentistes ?

– Sinon, je n'oserais jamais te demander ça, évidemment !

– HanHan... (Je t'en prie, vieux, c'est un plaisir !)

– Double interligne et recto seulement, c'est bien ça ?

– HonHmmn... (Mais comment Corinne peut rester zen en de telles circonstances ?)

– Tu seras indulgent pour les fautes, hein ? Je peux t'écrire métabisulfite de potassium sans hésitation, mais je me trompe encore dans l'accord du participe avec l'auxiliaire avoir !

– HinHinmmm ? (Et ta femme, ça va ?)

– Lucie, ma femme, ben, elle en manque pas une pour me remettre ça sous le nez. « T'es dentiste, pas écrivain que je sache ! »

Je reste soudain muet, comme pétrifié par cette déclaration aussi surprenante qu'inattendue. Il me semble avoir déjà entendu cela quelque part. Lucie, Corinne, même combat ?

– Quoi, je te fais mal ? s'inquiète soudain le mineur de dents creuses face à mon mutisme.

– HinHanmmum ! (Tu veux rire !)

– Tu me le dis s'il y a n'importe quoi, hein ?

– HuHu ! (Oui, oui !)

– C'est bientôt terminé de toute façon. Bref pour en revenir à mon roman, continue Richard en me soulageant de quelques kilos de vieux plombages, c'est l'histoire d'un couple qui bat de l'aile...

Tiens, c'est original, ça ! À qui ça me fait penser encore ? J'en reste coi une fois de plus.

– Tout au long de l'intrigue, leur situation se dégrade de plus en plus et l'issue semble inéluctable.

Qu'est-ce qu'il s'exprime bien mon dentiste tout de même ! Mais je t'en prie, continue ton histoire, ça m'intéresse.

– Mais ce qui est original, c'est que je fais faire une sorte d'introspection en parallèle chez les deux protagonistes, soliloque le dentiste imperturbable en jouant à présent de la truelle dans la cavité dentale.

– HummHumm ? (Non mais, dis-moi donc, Richard, as-tu un lecteur de pensées intégré à tes outils infernaux ?)

– Comme ça, le lecteur peut les voir se casser la gueule chacun de leur côté, et le couple avec, alors qu'il suffirait de pas grand-chose pour tout recoller. Tu comprends l'astuce ?

– HimphHammmm ! (C'est loufoque, mais j'aime ça !)

– Au fond, mon roman est carrément un essai sur l'incapacité chronique à communiquer des gens. Tu vois ce que je veux dire ?

– Humph... (Hmm...)

– Non... ne va pas croire que c'est autobiographique – j'ai bientôt terminé, je finis de mettre le nouvel amalgame... Lucie et moi, on file le parfait bonheur. Avec Corinne, comment ça va ? Je ne l'ai pas vue depuis une traite, ta belle.

– Hamphmmm ! (Une autre fois la confession, veux-tu ?)

– Mouais, c'est important.

– ???... (Qu'est-ce qui est important ? Le puits de mine que j'ai dans la molaire gauche ou quoi ?)

– Mais il faudra que tu me montres ton roman, toi aussi, d'accord ? – Claque des dents... Bien, sers fort maintenant... plus fort. As-tu avancé depuis la dernière fois ? – Desserre les dents... Didier, desserre...

– HummmHummm !! (Il me semble que je ne fais que ça !!)

– Ouais, je sais, c'est pas facile quand t'es gelé. Mais lâche mon outil, tu veux bien ? Làààààààààààààààà... Voilàààààààààààààà...

Les dentistes comptent parmi les gens les plus compréhensifs que je connaisse. Un peu infantilisants des fois, mais très compréhensifs !

– Alors comme d'habitude, une ou deux heures sans rien manger de solide ni de chaud, conclut Richard en se redressant. C'est du plombage blanc, alors ça peut être sensible pendant un certain temps. S'il y a n'importe quoi, tu m'appelles.

J'essaie d'extraire quelques mots articulés de ma bouche, mais j'ai l'impression d'avoir un caisson en acier trempé pris entre les mâchoires.

– Allez, bonne journée, Didier. Et n'oublie pas d'apporter ton roman la prochaine fois. Moi j'oublierai pas.

Poignée de main virile et gantée de caoutchouc, sourire Colgate et clin d'œil complice. C'est beau la compréhension mutuelle masculine, tout de même ! À peine quelques mots, quelques borborygmes et tout a été dit.

C'est si facile, parfois, hein, Corinne ?

Vendredi soir. J'ai retrouvé l'usage de mes fonctions buccales et je suis en tête-à-tête avec un verre de bière. Il est mon seul témoin, froid et muet, auditoire captif de mes pensées vagabondes.

Je n'ai pas écouté le conseil de Pierrot.

Même si j'avais besoin de compagnie.

Le *bar lounge* où je me trouve convient très bien à ce besoin de présence humaine. L'endroit est animé, mais l'atmosphère est relax. Une chanteuse déverse à petite dose sa sensualité dans un micro qui semble tout droit sorti des années quarante. Un peu en retrait, un pianiste et un bassiste s'accordent pour lui donner le support feutré d'un jazz bien senti. La fille chante les yeux fermés, comme une aveugle pour un public à moitié sourd. Je la regarde intensément pour tenter de percer ses mystères. Je suis sûr qu'elle s'en fout si la moitié des gens n'ont même pas conscience qu'elle chante. Elle sait que la musique traverse les frontières et que sa voix s'insinue quand même au fond des esprits.

Cette fille est belle dans son détachement du monde qui l'entoure, et je l'envie de pouvoir faire abstraction de l'indifférence des autres. Je me surprends même à la désirer, comme on désire une eau fraîche sur une brûlure. Mais le charme se rompt instantanément, comme si le souvenir de Corinne avait senti l'appel du danger et venait s'interposer. Je reviens à mon verre qui transpire en silence.

* *
*

Non, je n'ai pas écouté le conseil de Pierrot.

Après tout, l'oreille de Georges est suffisante pour mes trop-pleins de spleen quand le besoin se fait sentir. Et puis, je ne vais tout de même pas suivre les traces de Corinne dans sa thérapie ! Je trouve que depuis qu'elle a commencé à voir une psy, elle a changé, et pas en mieux. Selon moi, évidemment.

Nous travaillons constamment sur nos relations, nos sentiments et nos pensées, mais observez le résultat. Il n'en résulte qu'un monde en dégénérescence. Malgré un siècle de psychothérapie, le monde va de plus en plus mal !

Et ce n'est pas moi qui le dis. C'est James Hillman, psychologue américain de réputation internationale ! Si le berger ne sait plus où s'en va le troupeau, qu'est-ce que j'irais foutre là-dedans ? De toute façon, je ne suis pas un mouton de Panurge. Et puis, même le condamné à mort croit au miracle jusqu'à la dernière seconde.

Pourtant, ce soir, le cafard est le plus fort. Laissé seul, l'homme reçoit la solitude comme un coup fatal, une blessure mortelle à son orgueil. La vie est un champ de bataille où la force et l'arrogance deviennent un jour inutiles. Corinne est partie sans que l'on se soit reparlé, je veux dire des vraies affaires. Comme si nous avions décidé de nous laisser emporter par un courant contre lequel moi-même je ne veux plus lutter. Au fond, je sais que notre vie a fini par ne devenir que mensonges et apparences, un suicide prémédité, et qu'un jour qui n'est peut-être pas si loin, tout cela me pétera à la figure. Notre relation est kamikaze, je le sais, et Corinne n'est certainement pas dupe, elle non plus. Alors, qu'est-ce qui peut conduire deux êtres soi-disant matures et responsables à autodétruire leur relation ?

Corinne est partie passer la fin de semaine avec des amis d'il y a longtemps, une vie antérieure à la nôtre. Les anciens du collège ou quelque chose comme ça, un genre de sortie annuelle d'anciens combattants, des anciens célibataires qui se rappelleront le bon vieux temps, histoire de fuir celui du présent qui n'est pas tout à fait comme ils l'avaient espéré.

– Je pars vendredi en début d'après-midi, m'a-t-elle dit sur un ton neutre comme la Suisse. J'ai pris congé. Quelqu'un vient me chercher à la bibliothèque.

Il paraît que c'est un événement qui revient de façon cyclique, un peu comme les sauterelles, mais une fois l'an, une tradition ancrée comme la messe du dimanche, une communion de souvenirs à laquelle aucun conjoint n'est invité. C'est du moins la façon dont Corinne m'a présenté la chose, comme si elle cherchait à s'excuser.

– De toute façon, tu seras à ton séminaire, a-t-elle rajouté précipitamment pour ne pas trop s'excuser, quand même !

Moi, je pars demain matin de bonne heure pour Québec. En attendant, je passe une vraie soirée en tête-à-tête avec mon *self*. Est-ce vraiment différent des autres soirs ?

– Et puis ça nous permettra peut-être de réfléchir chacun de notre côté, a-t-elle murmuré en guise de conclusion.

Réfléchir ? Il me semble que je n'arrête pas et qu'au contraire je voudrais prendre congé de réflexion !

* *
*

J'étais seul à la maison et j'avais mis le CD de St-Germain, celui qui *groove.* Puis je m'étais servi un verre d'eau de vie de mirabelle, une eau claire et limpide, une eau de feu qui brûle les muqueuses mais laisse intacte toute forme de *blues* et de cafards. Dès la première gorgée, j'ai senti des larmes creuser leur lit au creux de mes joues, un trop-plein de quelque chose d'indéfinissable. Je me suis mis en tête que l'alcool était trop fort et j'ai laissé mes yeux exprimer toutes ces larmes qui venaient librement. Aux dernières notes de *What you think about...*, il ne restait rien des effluves éthyliques et lacrymaux. Rien qu'une amertume un peu brumeuse. Alors je suis sorti pour aller faire prendre l'air à mes pensées.

Dehors, l'air était très doux. Une brise légère et tiède semblait tomber du ciel pour venir lécher les restes d'une petite pluie tombée un peu plus tôt et que l'asphalte odorant s'employait à éponger sans bruit. J'ai marché sans regarder autre chose que ces pensées qui n'arrêtaient pas de danser devant mes yeux encore brumeux. Puis un autobus qui passait par là a projeté sa lumière blafarde sur ma bulle. Alors j'ai couru comme un dératé jusqu'à l'arrêt et je suis monté dans le vaisseau fantôme. Plus tard, je m'en suis éjecté comme un rot bienfaisant, au hasard du centre-ville.

* *
*

La chanteuse vient de terminer son dernier set et elle se glisse parmi les clients, voluptueuse et silencieuse. C'est ridicule, mais j'ai soudainement la pensée que cette fille est la seule personne vraiment humaine dans ce bar, comme si elle était pour moi un alter ego qui peut comprendre ma détresse. Nos deux solitudes ne sont-elles pas d'une certaine façon similaires ? Je la regarde qui vient vers moi comme une lumière attire le papillon de nuit, et pour une fois, c'est la lumière qui va au papillon.

Mon regard doit être intense et agir comme un aimant, car je prends soudain conscience qu'elle me fixe tout en avançant. Et, pour une seconde fois, je la désire. Encore plus. Et sans que je me l'explique, l'ombre de Corinne me laisse tranquille. Alors je m'agrippe à ce mirage avant qu'il ne disparaisse.

– Merci beaucoup. Votre voix est envoûtante et réconfortante à la fois.

J'ai posé ma main sur son bras comme elle passait à ma hauteur. Elle s'arrête et ses beaux yeux me répondent avant même que sa voix ne me parvienne, grave et souriante.

– Merci à vous. Amateur de jazz ?

– Je dirais plutôt... épicurien et amateur en tous genres. Et votre voix, autant que votre présence, sont des délices qui peuvent certainement se consommer sans crainte de l'overdose.

Elle rit, c'est cristallin, et ça fait du bien.

– Je m'appelle Ludmilla.

Et Ludmilla de me tendre une main délicate sur laquelle je dépose un baiser digne d'un Cyrano de notre ère. Sans le nez.

– Didier... et très enchanté. Pardonnez-moi ce racolage intempestif, mais est-ce je peux vous offrir un verre ?

Une fois de plus, Ludmilla rit, cascade merveilleuse et aérienne. Elle s'assoit face à moi dans un soupir de velours noir.

– Un Perrier citron ferait très bien l'affaire.

Pas besoin de héler le serveur. Il doit avoir du flair et de bons yeux, car il arrive au moment même où Ludmilla émet son désir.

– Une autre bière pour moi.

Nous nous dévisageons quelques instants, juste le temps qu'un ange qui passait par là décide de faire sa pause syndicale entre nous. Ludmilla possède tous les attributs pour faire craquer n'importe quel homme doué d'une certaine raison. Elle respire la douceur et la sensualité sans même le vouloir, comme si la nature et le Bon Dieu s'étaient concertés pour la doter de ce pouvoir d'attraction quasi magique.

– En fait, je ne connais pas grand-chose au jazz, mais je suis très sensible aux atmosphères que cette musique dégage. Et sans vouloir être déplacé, je trouve qu'il y a dans votre voix un charme qui s'y marie fort bien.

Autre sourire en guise de réponse alors que le serveur dépose nos consommations.

– Santé !

Nos verres s'entrechoquent et nos doigts se touchent, furtivement, mais suffisamment pour que j'aie l'impression que le courant passe soudainement du cent dix au deux cent vingt volts, et sans court-circuit. Je souris intérieurement en pensant comment il est souvent difficile d'établir des relations homme-femme, alors qu'en certaines occasions, comme ce soir avec cette inconnue, tout semble si naturel.

Ludmilla aspire délicatement une gorgée de son Perrier puis se met à parler, comme si mon silence avait été pour elle une question suffisante. Je n'ai plus qu'à me laisser bercer par la mélodie de sa voix qui me brosse à grands traits l'histoire de sa vie, si différente de la mienne, et pourtant si proche. Plus je l'écoute et plus je me dis que toutes les vies sur terre se brodent sur un seul et même scénario. La grande trame est la même, les visages des drames se ressemblent, seules les couleurs diffèrent.

Et puis soudain, quelque chose bascule en moi. Alors qu'une vague de sérénité clapotait doucement au milieu de mes fantasmes en liberté, quelque part, tout au fond de moi, une voix se met à me susurrer bêtement que je me laisse une fois de plus berner par une fantaisie imbécile et illusoire. Mon taux d'alcoolémie serait-il si élevé que j'entendrais des voix ou est-ce ma conscience qui se réveille comme une sentinelle oubliée ?

« Est-ce qu'on a le droit de se laisser prendre au jeu du désir tout en sachant que l'on devra reculer au dernier moment ? susurre la voix intérieure et caverneuse. Et si l'autre personne se laisse prendre à ton stupide jeu ? »

Si je reste muet malgré la volubilité grandissante de mes pensées, Ludmilla ne se fatigue pas de me raconter l'histoire de sa vie. Une moitié de mon esprit continue d'enregistrer les détails de ce qu'elle dit pendant que l'autre partie de moi-même prend de plus en plus le dessus et tergiverse dangereusement sur la pureté de mes intentions.

« Tu veux coucher avec elle ? C'est ça, non ? continue la voix tonitruante de mon for intérieur. Dis pas le contraire, mon salaud ! T'as déjà évalué la grosseur de ses seins et la couleur de... »

Je me secoue pour tenter d'éteindre l'incendie de mauvaise conscience qui commence à me ravager l'intérieur. En vain. L'ange devient diable et continue de me harceler sur un ton cru, pas du tout du crû d'un ange !

« Et si elle te dit oui, t'auras l'air con, hein ? Exit Corinne et ta vie de couple déjà merdique ! Une baise, c'est pas une vie ! »

Ludmilla s'est rendu compte de quelque chose, car elle arrête de parler et son visage est plus grave.

– Ça va ?

À contrecœur, je décide d'attraper la bouée de sauvetage qu'elle vient de me lancer sans le savoir.

– Un peu d'étourdissement... de la fatigue, probablement. Je pense que je vais rentrer. Excusez-moi.

– Veux-tu que je te raccompagne ?

Ludmilla me prend la main comme le ferait une amie de longue date. C'est con, mais je pense à Georges, à son amitié sincère. Et soudain, j'ai honte d'être un homme, honte d'être l'homme que je suis. Je me sens hypocrite et déplacé, comme si j'étais incapable de voir une belle fille sans immédiatement penser à coucher avec elle. Pourtant, comme pour me donner raison, le tutoiement de Ludmilla ne m'a pas échappé.

– Merci, tu es gentille, mais je vais prendre un taxi.

– Il faut que je rentre de toute façon. Allez, on partage le taxi, d'accord ?

– Mais je vais dans l'est.

– Parfait, moi aussi ! Reste assis, je vais en appeler un.

Avant même que j'aie pu protester, Ludmilla a disparu. Je n'ai pas le temps de remettre mes pensées en ordre qu'elle est déjà revenue.

– On sort l'attendre sur le trottoir ?

– Mais... et tes musiciens ?

– Aucun problème, ils sont majeurs et vaccinés !

Ludmilla me prend par la main et m'entraîne sur le trottoir. Quelle heure peut-il bien être ? Il y a tellement d'animation dans les rues que j'ai du mal à me situer dans le temps. Ludmilla s'adosse au mur, les yeux fermés, le visage illuminé par un sourire de Marilyn.

– C'est bon de respirer la nuit, tu ne trouves pas ? Il y a quelque chose de différent dans l'air de la nuit, comme si la planète se trempait l'hémisphère dans un élixir de fraîcheur.

Ludmilla se met à rire comme une enfant. La poésie de ses propos me touche en plein cœur. Je la regarde et je me remets à la désirer. C'est la troisième fois ce soir. Je dois avoir l'esprit qui disjoncte, car je me mets à penser à l'histoire de l'apôtre Pierre qui a renié Jésus trois fois de suite. Corinne... pourquoi n'es-tu pas là, avec moi, comme à nos débuts ? J'aurais pu regarder cette fille sans arrière-pensées et me faire plaisir comme on admire un Monet lumineux, comme Georges qui touche avec les yeux...

– Le taxi est là. Viens !

Un mélange de parfums me flatte les narines quand je monte dans le taxi, souvenirs éphémères de soirées tout aussi éphémères et qui flottent entre deux respirations avant d'être avalés par d'autres souvenirs.

– 6825 Iberville, s'il vous plaît.

– Euh... ensuite vous me déposerez au 7935 Shaughnessy.

– Hé ! on est presque voisins !

Le taxi décolle en douceur, allure de croisière, la nuit est de coton. Ludmilla a repris ma main, et j'ai peur qu'elle se fasse des illusions. Moi, je veux résister à l'envie d'aller plus loin. Je n'ai pas le droit. Avant tout pour elle, et pour Corinne, aussi. Malgré tout. Je suis un homme de principes, et c'est ma façon d'assumer ma fidélité jusqu'au bout. Non par obligation mais parce que je le sens comme ça, c'est tout. Et je sais que la plus grande trahison dont je pourrais me rendre coupable serait de ne pas être fidèle à ce que je suis vraiment. Certains éléments représentatifs de la gent masculine me renieraient assurément sur-le-champ s'ils voyaient mes réflexions intérieures !

– Ça va mieux, tu sais. Je pense que j'étouffais un peu dans ce bar. Et puis je suis allé chez le dentiste ce matin. Pas évident !

Je sais, je mens. C'est bancal et nul à chier. Mais le mensonge est la seule arme dont je dispose pour m'en sortir sans dégâts et sans faire de mal à Ludmilla. Elle se contente de sourire, sans lâcher ma main. Merde ! je ne peux tout de même pas lui expliquer que je ne suis qu'un con qui a voulu jouer à un jeu où j'étais disqualifié au départ !

– Je t'aime bien, Didier. Je ne sais pas exactement ce que c'est, mais je sens qu'on a quelque chose en commun.

Les mots restent coincés dans ma gorge. Pourquoi faut-il que je tombe sur une « âme sœur » à chaque belle rencontre que je fais ?! Je suis une bête prise dans un collet et je m'étrangle un peu plus à chaque mouvement que je fais pour me dégager de mon piège. Ludmilla se détourne et son regard semble se perdre dans les ombres qui s'évanouissent autour de nous. Bêtement, moi je compte les lampadaires qui défilent et s'impriment sur ma rétine. Puis les lampadaires s'arrêtent.

– Nous y voilà ! Ça fait 15,75 $.

Le temps se fige dans la moindre cellule de mon corps. Ludmilla plonge la main dans sa sacoche et en tire deux billets qu'elle tend au chauffeur. Je n'ai même pas bronché pour l'empêcher de payer.

– Gardez la monnaie.

Puis elle se tourne vers moi, son sourire de Marilyn toujours bien accroché. J'ai déjà mille réponses et autant d'excuses à lui soumettre si jamais elle m'invite à monter chez elle. Elle me reprend la main et me regarde aussi loin que mes yeux lui permettent d'aller. Quelques secondes s'écoulent ainsi, dans un super-ralenti.

– Merci pour cette fin de soirée, Didier. Tu sais, je ne filais pas trop ce soir, et ton compliment m'a fait du bien, vraiment. C'est bon de pouvoir parler à quelqu'un. Mais toi aussi, il faudra que tu me dises. Enfin, si tu veux.

Ses yeux se vrillent un peu plus profondément en moi jusqu'à me chatouiller l'âme. Puis Ludmilla se penche lentement et m'embrasse longuement avec une douceur et une tendresse qui me rendent complètement fluide. Lorsqu'elle se redresse, cette même tendresse se déverse directement de ses yeux jusqu'à ma mer intérieure. J'ai l'impression d'avoir quitté mon corps tellement je ne me sens plus.

– Je chante régulièrement dans ce bar. Tu n'es pas obligé, mais si tu veux qu'on se revoie...

– Ludmilla... c'est ton vrai nom ?

– Non, mais quelle importance ?

Un dernier sourire et Ludmilla sort du taxi, aussi doucement qu'elle est entrée dans ma vie. Quand l'auto repart et que je me retourne, Ludmilla s'est déjà évaporée dans la nuit. Le vide qui m'habitait ce soir est encore là, mais différent, plus doux, plus supportable.

Si le ciel est vide, pourquoi est-il si vaste ?

Allongée sur une chaise longue, le nez dans les étoiles, j'ai l'esprit qui galope et batifole. Vient un âge où les questions existentielles prennent de plus en plus de place. Même loin de Montréal, après un souper bien arrosé avec des gens que j'avais perdu de vue depuis des années, je ne peux m'empêcher de penser à mon existence. Mais, au fond, revoir le passé au présent ne peut que faire surgir toutes sortes de questions : ai-je fait les bons choix ? Qu'aurait été ma vie si j'avais fait ci plutôt que ça, ou ça plutôt que ci...

C'est bizarre, les retrouvailles. En revoyant certaines personnes après des années, on peut avoir l'impression de les avoir quittées la veille, alors que d'autres sont tout simplement méconnaissables. C'est la première réflexion que je me suis faite en montant dans la voiture de mon chauffeur cet après-midi.

– Corinne ?

– Benoît ?

– Je suis vraiment content de te revoir.

Benoît Dompierre est de la première espèce. Il a gagné en maturité ce qu'il a perdu en verdeur. C'est tout à son avantage. C'est lui qui est passé me prendre à la bibliothèque. Je n'ai pas voulu le préciser à Didier. Va savoir pourquoi ? Les premières minutes de gêne passées, nous avons graduellement ouvert les vannes pour faire le point sur nos vies respectives. Presque vingt ans de rattrapage en quelques heures. Mais je sais qu'on n'a dit que l'essentiel. Le reste, on l'a senti derrière les mots.

Les autres « amis d'autrefois » nous attendaient déjà au chalet loué pour l'occasion. Dix en tout. « Comme dans l'temps ! » s'est exclamée Martine. Que je n'ai pas reconnue tout de suite. C'en est une sur laquelle la vie a passé comme un rouleau compresseur. Mauvais choix ou destin cruel et inéluctable ?

Après le souper, je suis allée m'asseoir à l'écart, entourée de nuit et de forêts, juste pour m'éloigner un peu des rires et des souvenirs qui viennent me chatouiller la sensibilité, que je sens un peu troublée, d'ailleurs. Le regard de Benoît a souvent croisé le mien, et j'ai cru y voir des questions muettes et pressantes qui me dérangent. L'effet de l'alcool ou mon imagination ?

Petite fille, je rêvais au prince charmant. Aujourd'hui, je me dis que son existence est plus difficile à prouver que celle de Dieu. Au fond, peut-être que Didier a raison : la vie ne vaut pas la peine qu'on la prenne au sérieux. À peine a-t-on fini de grandir que l'on est jeté en pâture au grand malaxeur de la vie – le quotidien et ses responsabilités d'adultes. Pourtant, on finira tous de la même façon...

Tiens, une étoile me fait de l'œil. Hormis Dieu, s'Il existe, y a-t-il quelqu'un là-haut ? Sommes-nous sous la loupe d'une civilisation extra-terrestre ? Les cobayes d'une macabre expérience ? Un immense *reality show*, genre *Truman show*, mais pour la première chaîne intergalactique ?

Soudain mon existence m'apparaît futile, inutile, même. Sans but, on ne va nulle part. Et il me semble que c'est là que je m'en vais depuis un certain temps.

Est-il possible de tout effacer pour repartir à zéro ? *Game over*, on redistribue les cartes. C'est une pensée qui revient souvent me hanter, malgré moi, tant que je n'aurai pas trouvé la réponse, en fait. Et j'aimerais pouvoir le croire, pouvoir le faire, et j'essaie de me convaincre que c'est possible. Le premier pas est celui que l'on pose sur son orgueil. Exercice d'humilité s'il en est un. Ce n'est pas vraiment ce qu'on nous apprend à l'école et dans la vie, et ce n'est pas naturel non plus, comme si l'être humain existait pour avoir toujours raison et jamais tort.

C'est drôle, mais se perdre le regard dans cette immensité scintillante, c'est comme se plonger l'âme dans l'infini. Un bain de fraîcheur spirituelle ! En ce qui me concerne, ça me permet de prendre du recul. Étrangement, ça me rapproche de Didier. Qu'est-ce qu'il pense de tout ça, lui ? Et que fait-il en ce moment même ? Est-ce qu'il pense à moi ou bien... ?

C'est à ce moment précis que je sens une main se poser sur mon épaule. Je sursaute à peine. Je ne me retourne pas non plus. Je sais qui est là. Après quelques secondes, Benoît vient s'asseoir face à moi, silencieux et souriant. Mais son sourire m'atteint comme une balle perdue, me traversant l'âme et le corps. Immédiatement un frisson vient remuer le miroir de mes pensées, une onde troublant la surface étale d'une eau dormante.

Les visages et les images se brouillent et se mélangent.

Y a-t-il quelque chose de fortuit dans cette vie ?

C'est drôle comment on peut imaginer les choses, des fois. On se fait une idée, un scénario, et puis quand on se retrouve devant la réalité, plus rien n'est pareil. J'avoue que je ressens un petit malaise en arrivant à la table des inscriptions de l'atelier *Roman, nouvelle et poésie* où une belle hôtesse me souhaite la bienvenue avec un sourire habité de bonnes intentions et de belles dents bien alignées.

– Excusez-moi. C'est ici le séminaire de monsieur de La Selle ?

– Absolument. Monsieur ?....

– ... Didier... Didier Locolo.

Je suis un tantinet déstabilisé quand je pénètre dans l'antre du savoir livresque garanti et du futur succès éditorial. La salle dans laquelle se déroule le séminaire est petite, atmosphère feutrée et intimiste, même. Il y a de la place pour une cinquantaine de personnes, tout au plus. Je n'ai jamais aimé être à l'avant-plan. À l'école, je défendais chèrement ma place au fond de la classe, près du radiateur. Je n'occupe le devant que depuis que je suis prof, et encore, puisque je me retrouve très souvent debout au milieu des rangées, ou complètement au fond, à observer mes élèves. Je choisis donc la dernière table, près de la porte. Décision rapide et avisée, car la pièce se remplit rapidement.

Je compte quarante-quatre personnes, à trois cent cinquante dollars par tête de pipe, ça fait... quinze mille quatre cents dollars. Moins la location de la salle, l'hôtesse, le coût de l'hôtel – ils ont dû bénéficier d'un prix de groupe –, le monsieur doit se garder environ dix mille dollars. Pas mal quand même pour une fin de semaine de monologues et de conseils avisés.

J'ai beau être prof de français, j'aime calculer, comme ça, rien que pour le plaisir de calculer. Ça me rappelle la petite école, du temps où l'on faisait encore du calcul mental, du temps où les calculatrices faisaient partie de la science-fiction. Un problème..., quelques secondes de réflexion durant lesquelles on entendait crisser les craies sur les ardoises, et les dents des indécis, puis la maîtresse nous demandait de montrer bien haut notre réponse. Je n'étais pas très bon à l'époque, et je devais souvent essuyer la réprobation de madame Joëlle, les moqueries des autres et ma propre honte. C'est probablement à cette époque aussi que j'ai grandement élargi mon champ de vision latéral. Mais je me suis beaucoup amélioré depuis. En calcul mental. Tout seul. Et maintenant, j'aime ça. Aujourd'hui, calculer et trouver la réponse à n'importe quel problème mental est comme une revanche sur le passé.

Monsieur de La Selle fait son entrée sous les applaudissements de quatre-vingt-huit mains qui s'entrechoquent bruyamment. Pas de doute, c'est bien le même qui apparaît sur la photo au dos du bouquin que j'ai acheté tout à l'heure.

Il y avait une table à l'entrée sur laquelle s'exhibaient fièrement les fruits de sa réussite. Vente forcée ou marketing de bon aloi ? De toute façon, difficile de résister. Au premier abord, M. de La Selle est sympathique et s'exprime tout à fait bien. Je suis content qu'il n'ait pas pris cette espèce d'accent français que nous ramènent les Québécois qui s'installent à Paris. Ce qu'il dit est intéressant et je prends des notes à la pelle.

J'en suis à noircir ma troisième feuille quand je sens une mini-tornade pénétrer dans la salle pour venir finir sa course à côté de moi. La table tremble, mes feuilles s'éparpillent en virevoltant, puis le calme revient. La mini-tornade respire bruyamment. C'est sûr qu'elle a couru. Je me retourne pour lui faire mes gros yeux, ceux que je fais quand je veux calmer certains élèves – ça marche rarement – et je tombe nez à nez avec un sourire à désarmer le Pentagone. Sa chevelure au désordre certainement calculé lance des reflets de coucher de soleil. Mais le coup fatal vient des yeux qui croisent mon regard : ils ont une couleur sans nom qui fait vaguement penser à la mer des Caraïbes, et ces yeux en disent assez long pour que je remballe précipitamment ma réprobation silencieuse. Je sors plutôt mon sourire indulgent et je retourne à mes notes, mais j'ai perdu le fil de la causerie de notre « auteur québécois internationalement reconnu ».

Alors que je pensais l'avoir retrouvé – le fil –, je suis à nouveau distrait par un violent bruissement de feuilles de papier, suivi par la chute du contenu d'une trousse sur la table : trombones, punaises, bâton de rouge à lèvres, gomme à effacer, crayon cassé, mini-Tampax et autres objets hétéroclites jonchent la table devant ma voisine et empiètent même sur mon propre territoire. L'air de rien, je reprends l'écoute de l'exposé jusqu'à ce que je sente une légère pression sur mon bras.

– Excusez-moi. Auriez-vous un stylo ? Le mien ne fonctionne pas et je n'en ai pas de rechange.

Bien sûr que j'en ai un ! Même deux, trois... Un écrivain digne de ce nom devrait toujours avoir un ou deux stylos de secours ! Je tends l'un des miens à la belle tornade qui me renvoie un autre de ses sourires totalement désarmants.

– Comment faites-vous ?

– Quoi ?

– Votre sourire... C'est quoi, votre entraînement ?

Un autre sourire flotte sur les quelques secondes que la demoiselle prend avant de me répondre. Les anges sont certainement des femmes.

– Naÿle, je m'appelle Naÿle. Enchantée.

Elle me tend une main longue et fine. Pourtant, sa poigne n'a rien de celle d'une poupée de porcelaine. La belle enfant me sourit maintenant avec malice. La glace est brisée. Nous sommes voisin-voisine en bons termes. C'est important.

– Une histoire qui vous tient à cœur... Qu'est-ce que vous allez écrire, vous ?

Nous sommes en pause-café. Il y a quelques tables nappées de bleu et dressées pour offrir café, tisanes et biscuits aux participants. Une joyeuse rumeur habite le salon qui jouxte la salle de conférence.

– Je ne sais pas... Je m'étais fait à l'idée de travailler sur mon roman toute la fin de semaine, mais là...

– Vous avez un roman en route ?

Je n'aurais jamais dû dire ça. Comment lui répondre que mon roman est en route depuis des années et perdu quelque part en plein désert d'idées, en panne sèche d'inspiration et probablement bon pour la casse des histoires avortées ?

– Façon de parler... Disons que j'ai une idée et que je jongle avec depuis un certain temps.

Ça, c'est bien dit ! Pourtant, Naÿle me regarde d'un air amusé, un petit sourire au coin des lèvres.

– Autrement dit, vous êtes bloqué dans le *no man's land* de la pensée.

Un ange passe et se promène entre nous, l'air narquois. Ça doit être un homme. Qu'est-ce que je peux répondre à ça ? Rien. Sinon par un rire que l'embarras rend nerveux. Mais Naÿle me fait un clin d'œil et ma gêne est instantanément pulvérisée.

– Ne vous en faites pas. J'en suis au même point, et je suis certaine que tout le monde ici est à la même enseigne. On est tous venus chercher de quoi combler un manque, vous ne croyez pas ?

Je jette un regard fugace autour de nous. Sûr qu'elle a raison. Au-delà des apparences et des airs importants que certains se donnent, je devine des créateurs inquiets venus chercher le remède à leurs maux de mots.

– Qu'est-ce que vous faites dans la vie ? enchaîne la belle enfant, histoire de garder notre conversation bien vivante.

– Je suis professeur.

– Ah oui ? De quoi ?

– Français. À Saint-Timothée. Une école privée à Montréal.

– Chapeau ! J'admire les profs.

À mon tour de prendre un air amusé, même si, au fond, je suis flatté.

– Non, c'est vrai ! s'exclame Naÿle avec fougue. Vous avez l'avenir des générations futures et de la planète sur les épaules, et pourtant on dirait que tout le monde s'en lave les mains.

– Vous exagérez un peu, non ?

– Si peu ! La plupart des parents ont démissionné, gouvernements et syndicats se battent pendant que les écoles tombent en ruine, et on laisse les enfants s'entasser dans les classes !

Je plonge illico la tête dans ma tasse de café pour ne pas qu'elle voit mes yeux, comme si j'avais peur qu'elle y lise ma propre détresse.

– Et vous, qu'est-ce que vous faites dans la vie ? dis-je en m'étouffant avec ma gorgée de café qui s'est trompée d'orifice.

Naÿle hausse les épaules

– J'essaie de vivre comme je le veux.

– Mais encore ? articulé-je de la voix rauque d'un pendu.

– Disons que je m'arrange pour payer mon loyer et mon épicerie, et le reste de mon temps m'appartient.

– Mais encore... encore ?

J'ai les yeux pleins d'eau et probablement le visage cramoisi, mais je fais comme si tout cela était naturel chez moi. J'attends sa réponse, flegmatique.

– Je suis comme qui dirait pigiste dans le domaine artistique..., à Montréal, moi aussi.

Malgré les larmes, mes yeux doivent parler haut et fort, car Naÿle enchaîne presque aussitôt.

– J'ai une formation en théâtre, alors je me trouve des contrats à la télé et au cinéma.

– Vous êtes actrice ?

– On peut dire ça, oui.

Naÿle baisse les yeux une fraction de seconde, suffisamment pour que j'essuie les miens, discrètement.

– Là, c'est vous qui m'épatez ! Je ferai attention la prochaine fois que je regarderai la télé. Est-ce que vous avez eu des trucs importants ?

Naÿle me répond par un petit rire fragile comme du cristal.

– Non, pas vraiment. Même que des fois, c'est purement et simplement de la figuration ! Mais ça me permet de gérer mon temps comme je veux et de faire des rencontres intéressantes. En plus, j'ai souvent bien du temps pour écrire et penser à mes histoires.

Il y a soudain un léger brouhaha dans le salon, suivi d'un mouvement de foule.

– Je crois que c'est la fin de la récréation. On y va ?

Naÿle me décoche un autre de ses sourires enjoués.

– Comment vous résister ?

Je sais, ça fait ringard. Mais parfois, les réponses semblent sortir toutes seules et de nulle part.

Nous regagnons nos places en suivant la procession, mais je nous sens déjà différents des autres, seuls sur notre propre îlot. J'ai soudain un frisson, immédiatement suivi d'une sensation étrange et délicieuse que je n'avais pas ressentie depuis des lustres.

Comme si je venais de sortir d'une longue léthargie.

Pourquoi la communication est-elle parfois si facile avec un ami, voire une simple connaissance ? Il me semble que c'est avec notre conjoint qu'il faudrait qu'il en soit ainsi, non ? Benoît et moi avons passé des heures à nous ouvrir l'un à l'autre, simplement, sans pudeur, comme si la chose avait été la plus naturelle au monde. Il m'a parlé de ses deux mariages ratés, des divorces aussi désastreux que ruineux, de ses nouveaux départs, de ses enfants qui, malgré tout, en sont sortis indemnes.

– Tu sais, les enfants, quand on les laisse être ce qu'ils sont vraiment, ils sont bien plus forts qu'on le pense.

Moi je lui ai parlé du cordon ombilical qui n'a jamais vraiment été coupé avec mes parents et qui m'empoisonne encore l'existence, de ma vie de bureau parfaitement insignifiante et sans but, de mon chaos actuel avec Didier, du cul-de-sac général dans lequel je sens ma vie s'enfoncer et duquel je ne pourrai peut-être jamais sortir.

Et le plus incroyable, c'est qu'à un certain moment je me suis mise à pleurer, comme ça, sans même ressentir de gêne. C'était à la fois douloureux et libérateur. Malgré la pénombre qui nous enveloppait, la lune éclairait mon visage et ma détresse. Mais je n'ai pas cherché à empêcher mes rivières intérieures de se déverser, ni même à me cacher. Benoît m'a offert son bras et son épaule sur laquelle j'ai laissé choir ma tête sans résister. Puis il s'est contenté de m'écouter. Mes ondes d'émotion coulaient d'elles-mêmes ; il n'avait qu'à se laisser porter par le courant, tout comme moi.

Et puis, j'ai fini par verser la dernière larme, prononcer le dernier mot, pousser le dernier soupir. Le silence s'est alors installé entre nous, comme un passager clandestin qui aurait toujours été présent et surgirait soudain de nulle part. Un silence palpable même au milieu de l'assourdissante symphonie pastorale nocturne. Mais Benoît a ôté toute consistance à ce silence en faisant fondre l'espace qui nous séparait. Il a doucement relevé ma tête pour venir déposer un long et tendre baiser sur mes lèvres fatiguées d'avoir tant parlé.

Et je n'ai même pas cherché à résister.

Lorsqu'on entre dans un nouveau groupe, que ce soit pour une fin de semaine ou toute une vie, on dirait qu'il nous faut tout de suite trouver l'âme sœur, homme ou femme, quelqu'un qui, d'une certaine façon, nous ressemble. C'est certainement la loi de l'affinité qui est à l'œuvre, mais aussi quelque chose d'indéfinissable, de mystérieux, même, et qui nous pousse dans la bulle d'une autre personne.

Pour moi, c'est Naÿle. Et rapprochement oblige, nous avons rapidement changé nos conjugaisons, passant du *vous* au *tu*.

Nous nous retrouvons le soir même dans un petit restaurant sympathique, attablés sur la terrasse comme deux amoureux. D'ailleurs, le serveur n'arrête pas de nous lancer des regards entendus et nous suggère même des mets aux vertus soi-disant spéciales qui devraient nous plaire.

– Et nos deux tourtereaux, ils ont choisi ?

Dans le fond, je suis flatté. Cela signifie que je ne parais pas vraiment les vingt ans de trop qui me séparent de Naÿle. De toute façon, la différence d'âge ne se calcule pas en années.

– Si ça te met mal à l'aise, on déménage, lancé-je d'un ton badin à ma nouvelle amie.

– Non, ne t'inquiète pas, j'en ai vu d'autres. Et puis, c'est amusant de jouer un rôle, non ?

Son ton rafraîchissant me remplit d'une douce euphorie. C'est ce même sentiment que j'ai ressenti à la pause du matin. Peut-être la fontaine de jouvence que nous cherchons tant se trouve en définitive au fond de nous, jamais tarie, ne demandant qu'un vent de jeunesse pour resurgir ?

Soudain, tout comme avec Ludmilla, j'ai envie de jouer à un jeu avec Naÿle. Le jeu de « jusqu'où on peut aller sans se brûler ». Faire comme si, en se disant qu'on verra bien si le « si » finira par se manifester, un jour. Décidément, j'aime ça, jouer avec le feu ! Mais la vie est un jeu...

Et si on finissait par se rapprocher vraiment ?

Et si on finissait par s'embrasser ?

Et si on finissait dans le même lit ?

Et si on finissait par vraiment tomber amoureux ?

Et si Naÿle décidait de jouer le jeu pour de vrai ?

– J'ai commencé à écrire une nouvelle pendant que je t'attendais dans le lobby de l'hôtel.

J'atterris. Naÿle n'a pas cessé de me parler. Pendant combien de temps ? Quelques secondes ? Une minute ? Plus encore ? Le temps qui passe sans qu'on le voit est habituellement du bon temps. Alors je souris. Mon jeu est déjà commencé. Et je bois les paroles de Naÿle qui m'explique à coups de petites phrases et de sourires les tenants et aboutissants de son histoire.

– C'est bien, ce séminaire, non ? finit-elle par conclure. J'étais un peu craintive, mais ça m'inspire. C'est bon signe !

– Pour être franc, moi aussi j'étais craintif. Mais le monsieur de La Selle a pas mal roulé sa bosse et il connaît son métier. Et puis, moi aussi ça m'inspire.

– Ton roman ?

J'aurais envie de lui répondre avec sincérité qu'elle est toute une inspiration pour moi, que sa fraîcheur et son innocence ont déjà décapé chez moi plusieurs couches de lassitude et de déconvenue... Le poète en moi semble vouloir sortir du cocon qui l'étouffait sans le savoir.

Mais il est des choses qu'il serait dangereux de dire. Parce qu'il y a toujours des conséquences à ce qu'on dit.

– ... Alors ?

– Heu... C'est l'histoire de mon père, mais vue à travers mes yeux d'enfant.

– Ah oui ?

J'ai toujours été fort pour improviser. Mais pourquoi ai-je soudain parlé de mon père ? Encore un des mystères de l'inconscient. D'accord, plus le séminaire avançait et plus j'avais l'impression que mon roman en cale sèche ne valait pas grand-chose et que je devais trouver une autre histoire. Surpris par la question de Naÿle, j'aurais peut-être eu honte d'en parler. Mais c'est vrai, j'ai eu un flash, un éclair d'inspiration pendant que M. de La Selle parlait, une histoire inspirée de mon enfance, quelque chose d'embryonnaire et pourtant de complet en soi. Mais j'ai tout repoussé aux frontières de mon inconscient d'où tout cela avait surgi.

Mon père. C'est probablement la dernière personne dont j'aurais eu envie de parler ce soir ; la dernière histoire que j'aurais eu envie de raconter.

Mais le regard de Naÿle me dit clairement que, ce soir, je n'aurai pas le choix.

Quelle heure était-il lorsque je me suis endormie ? Je ne sais pas, le sommeil est venu me prendre sans crier gare, en douceur, comme une enfant épuisée par ses jeux. Cela faisait longtemps que ça ne m'était pas arrivé.

Toujours est-il que cette nuit, j'ai fait un rêve. Enfin, ça avait tout l'air d'être un rêve. Souvent, la ligne est mince entre le rêve et la réalité.

Je marchais dans une forêt qui ressemblait étrangement à celle qui entoure le chalet où le groupe des « amis d'autrefois » était réuni. J'étais pourtant censée être avec Didier, mais je ne le voyais pas. Au début, cela m'importait peu, car l'endroit était calme et beau dans la lumière du soleil. Et puis, j'entendais des voix non loin de moi. J'essayais tout de même de trouver Didier, mais sans vraiment le chercher, comme si une force mystérieuse m'empêchait d'y mettre toute mon attention.

Soudain, la nuit est tombée, d'un coup, comme un rideau de théâtre à la fin du dernier acte. Une fois la surprise passée, je me suis mise à avoir peur et à courir. Mais plus j'avançais et plus mes jambes refusaient de me porter. Bientôt, je me traînais sur le sol pour m'approcher des voix que j'entendais toujours non loin de moi.

« Didier... Didier... », ai-je dû murmurer dans mon sommeil.

Mais personne ne répondait à mon appel. Au moment où je me croyais perdue et prête à abandonner, j'ai senti des bras puissants me soulever de terre... L'instant d'après, va savoir comment, je me suis retrouvée au beau milieu de la fête des « amis d'autrefois ». Debout sur la table, Martine faisait un strip-tease des plus cochons sous les cris d'encouragement des autres. Moi je regardais ça, ébahie et dégoûtée, car Martine avait un regard lubrique sous les traits d'une vieille femme au sourire édenté. Mais j'avais beau crier, personne ne semblait m'entendre. C'est à ce moment que je me suis rendu compte que Benoît Dompierre n'était pas à table. J'ai donc commencé à le chercher dans toute la maison pour lui demander de faire arrêter cette mascarade décadente. Mais il était introuvable.

Une fois de plus à bout de souffle, je me suis étendue sur un lit dans l'une des chambres. Les cris des autres avaient cessé et ce calme inattendu me faisait peur. Soudain, je sursautai en sentant une main me caresser. Je me rendis compte alors que je n'avais plus de vêtements ! La main était là qui courait sur tout mon corps, probablement à la recherche de mes zones érogènes. C'est du moins ce que j'ai conclu à ce moment-là.

Je me suis retournée d'un coup et suis tombée nez à nez avec Benoît qui me souriait tendrement. Il était complètement nu lui aussi ! J'ai voulu protester, mais il continuait à me caresser silencieusement. Une fois de plus, j'ai senti toute volonté me quitter même si, au fond de moi, je voulais combattre. J'essayais d'appeler, mais aucun son ne sortait de ma bouche. Et, malgré tout, je pouvais sentir le désir monter en moi comme une vague chaude et enveloppante...

En tournant la tête, j'ai vu soudain tous les autres « amis d'autrefois » dans l'encadrement de la porte. Ils nous regardaient en souriant béatement, comme si tout cela était normal et faisait partie d'un plan bien arrêté.

« Vous m'avez piégée ! » ai-je pensé en mon for intérieur sans pour autant être capable d'articuler le moindre mot.

« Laisse-toi aller, tout ira bien », semblaient-ils susurrer avec leurs sourires imbéciles.

Et le plaisir montait, montait...

J'ai ressenti à ce moment une décharge me traverser les reins et se propager dans tout mon corps. Mon rêve a basculé d'un coup et je suis tombée dans un trou noir et menaçant.

L'instant d'après, j'étais assise dans mon lit, moite et tremblante. Il faisait noir ou, plutôt, il faisait nuit d'encre. Dehors, une myriade de bestioles et d'insectes chantaient au plus profond de la forêt.

Le chalet dormait.

Les amis d'autrefois aussi.

Probablement.

Où était Benoît ?

Tout cela est clair, tellement limpide. Enfin, il me semble. Il faudra tout de même que j'en parle à ma psy.

Ou peut-être pas.

Mais qu'est-ce que je vais dire à Didier ?

« M. Massimo venait de descendre du *Saviem* vert et blanc. Il était vêtu du traditionnel bleu de travail comme tous les autres ouvriers de l'usine. Et comme tous les autres, il tenait à la main sa gamelle dans laquelle sa femme lui avait préparé son déjeuner. Peut-être son dernier... »

Même embryonnaire, l'histoire était là. C'était facile. J'avais commencé à l'écrire dès mon plus jeune âge, dans la matrice de mon imagination fertile, et je la connaissais par cœur.

« Seuls les dates et les noms ont été modifiés pour préserver l'anonymat des protagonistes. »

J'ai bien essayé de continuer à décrire à Naÿle le papa héros, mais je n'ai pas pu aller jusqu'au bout. Mon père n'a jamais été un héros. Difficile de mettre un costume de géant sur un être si petit. Mais Naÿle a insisté. Elle ne savait pas. Et je ne voulais pas expliquer.

– C'est un bon début. J'aime ça. Continue.

« En ce 14 octobre 1962, la situation internationale était tendue, très tendue, même, et la guerre froide à son paroxysme. Un avion américain U2 avait survolé Cuba et en avait rapporté des photos inquiétantes. Bien entendu, si peu de gens étaient au courant de ces derniers événements, les médias ajoutaient de l'huile sur le feu en répandant toutes sortes de rumeurs plus ou moins folles. Cela ne faisait qu'affoler un peu plus une population déjà fragile.

« M. Massimo entra dans l'immense bâtiment avec les autres ouvriers. Au fur et à mesure qu'ils avançaient dans l'antre bruyant et poussiéreux de l'usine d'armement, les hommes se disséminaient ici et là dans les différents ateliers. Bientôt M. Massimo se retrouva seul. Il jeta néanmoins un coup d'œil discret autour de lui, simple déformation dictée par la prudence élémentaire. Avec ces rats communistes, il fallait se méfier ! »

– Naÿle, mon père était tout, sauf un héros. C'est difficile...

– Sers-toi de ton imagination. Vas-y, t'es capable !

Je regarde Naÿle avec les yeux de celui qui sait mais qui ne dit rien. Parce que certaines vérités font mieux de rester dans l'oubli.

« M. Massimo se tenait devant la porte de l'atelier numéro 9. Quand il fut certain d'être seul, il apposa sur la serrure la grosse bague qu'il portait au majeur. Il y eut aussitôt un déclic discret et la porte s'ouvrit pour le laisser entrer. Système électronique sophistiqué actionné par un circuit miniature dissimulé dans sa bague.

M. Massimo se retrouva dans un long couloir aux murs anonymes au bout duquel se trouvait une autre porte. Elle s'ouvrit selon le même principe. Cette fois-ci, la porte donnait sur une cage d'ascenseur. M. Massimo pénétra à l'intérieur et appuya sur le seul bouton présent. Aussitôt, la porte se referma et l'ascenseur entreprit sa lente descente vers les entrailles secrètes et impénétrables de l'usine. Quand la porte se rouvrit, M. Massimo était dans un autre monde. Il s'agissait s'une sorte d'entrepôt rempli de machines et d'ordinateurs qui ronronnaient et autour desquels s'affairaient des hommes en blouses blanches.

Bienvenue dans la fourmilière ! pensa M. Massimo en sortant de la cage d'ascenseur.

Une autre journée au bureau venait de commencer. »

– Et puis ?

Naÿle m'a écouté avec l'innocence béate d'une enfant à qui on lit un conte de fées. Moi je me sens coincé. J'ai essayé, mais il y a des souvenirs qui restent empoisonnés tant qu'on n'a pas trouvé l'antidote.

– Et puis rien. En fait, ça s'arrête là. J'essaie de faire une histoire avec une autre histoire, mais ça coince. Désolé.

Naÿle a certainement perçu mon malaise, car elle m'observe en silence. Un silence habillé de son sourire et qui m'enrobe d'une muette compréhension. L'ange de service n'y trouve d'ailleurs pas sa place, tellement le sourire et le regard de Naÿle habillent tout l'espace.

– Je suis vraiment en panne ! finis-je par dire pour tenter de couper court.

Et puis j'éclate de rire, parce que c'est probablement la meilleure façon de se sortir d'une impasse. Faire comme si de rien n'était.

Nous avons tous nos secrets, certains si lourds qu'ils sont tombés dans les replis les plus cachés et nauséabonds de notre âme. Mais pas dans l'oubli.

Je n'ai jamais pu parler sereinement de mon père. Pas même à Corinne. Pourtant elle a essayé. Mais son attitude « Passe-Partout » m'a rendu muet. C'est pas vrai que tout le monde il est beau, tout le monde il est gentil. Et puis, je n'ai pas besoin de compassion infantile.

Alors je continue de rire pour repousser les fantômes dans leur caverne. Pour jouir de ce beau moment que je passe avec une inconnue que je crois pourtant connaître depuis toujours.

Mais cette fois-ci, ca ne fonctionne pas.

Naÿle veut savoir.

Les parents ne sont jamais les héros que l'on croit. C'est ce qu'on devrait écrire dans la première phrase du premier paragraphe du premier chapitre du livre d'instruction pour une vie familiale réussie.

Mais il faut croire que cela aussi fait partie du grand cirque de la vie, l'espoir auquel on s'attache comme après un pilier de béton bien solide. Après tout, les enfants ont besoin de repères. Jusqu'au jour où ils découvrent que papa navigue allègrement sur les vagues pornographiques d'Internet pendant que maman raconte une histoire de prince charmant pour endormir les enfants. Ou que grand-maman se fume encore un petit pétard à l'occasion – stressante, la vie de mémé aujourd'hui ! – tout en dénonçant les effets nocifs de la cigarette et des OGM.

Quant à moi, je n'avais pas besoin de découvrir les travers de mon père pour le dévisser de son piédestal. En réalité, j'avais deux pères : un biologique et un virtuel. Le dernier prenait souvent le pas sur le second. Sauf quand je me prenais une vraie bonne raclée bien méritée. Car, comme il est écrit dans la première ligne du deuxième paragraphe du premier chapitre du livre d'instruction pour une vie familiale réussie, la réalité nous rattrape toujours. Et parfois, même, elle nous dépasse.

« Ce jour-là, l'agent spécial et secret Massimo avait bouclé sa mission plus vite qu'à l'habitude. »

Plus vite que le scénariste lui-même. C'est tout dire !

J'étais dans ma chambre quand c'est arrivé. Je tentais de résoudre un devoir de mathématiques, une vague histoire de piscine qui fuit mais qu'on doit quand même remplir avec un robinet trop petit. J'essayais de donner un sens logique à tous ces chiffres en maugréant contre l'imbécile qui avait percé la piscine et l'autre taré de plombier qui avait eu la flemme d'aller chercher le robinet adéquat dans son camion.

Si tel avait été le cas, mon prof de maths aurait perdu son boulot et moi j'aurais pu partir en mission spéciale avec papa.

Bref, pendant que moi je m'occupais du problème des autres, ma mère s'entretenait en privé avec un vendeur d'assurances, ou d'aspirateurs, je ne sais plus. Bref, l'un ou l'autre, quelle importance, puisque les deux ne vendent que du vent.

Ce sont ses cris – ceux de ma mère – qui m'ont averti d'une catastrophe imminente. Inconscient du danger, je me précipitai hors de ma chambre pour faire sus à l'ennemi qui s'en prenait ainsi à ma mère. Mal m'en prit, car je faillis être renversé par une paire de fesses que je ne connaissais pas, laquelle paire disparut en même temps que le reste d'un corps d'homme à moitié nu par la porte d'entrée. Puis ce fut ma mère que je vis ensuite, même si je ne la reconnus pas tout de suite. Il faut dire que je ne l'avais jamais vue le torse nu avec la jupe de travers. Elle essayait tant bien que mal de se protéger le visage tout en cachant du mieux qu'elle pouvait ces pièces d'anatomie charnues et brinquebalantes que je découvrais pour la première fois – depuis ma dernière tétée, bien sûr.

– Salope ! criait mon père. Putain ! Traînée ! Et d'autres mots encore dont je ne comprendrais le sens que bien plus tard.

Je compris très rapidement qu'il s'agissait d'une discussion d'adultes et je m'enfermai illico dans ma chambre pour me plonger dans ma piscine trouée que je remplis en un temps record.

Les cris de ma mère et les hurlements de mon père s'estompèrent petit à petit. Ma terreur mit un peu plus de temps. Ce soir-là, je jeûnai pour la première fois de ma vie. De toute façon, j'avais l'estomac tellement noué qu'une seule miette de pain n'aurait même pas fait son chemin. Tout habillé dans mon lit, je regardai la lune faire son marathon nocturne. Je m'endormis alors qu'elle disparaissait de ma vue.

« Les gens cessent d'exister quand ils sortent de notre vie » fut ma dernière pensée articulée. Étrange et inhabituel de la part d'un enfant. Pourtant, je m'en souviens encore très bien, comme si les mots s'étaient inscrits à l'encre indélébile sur l'écran diaphane de mon esprit tourmenté. Je ne savais pas ce que j'allais trouver le lendemain à mon réveil. Mais ce dont j'étais sûr, c'était que la vie ne serait plus jamais pareille.

Pas besoin de comprendre pour ressentir et appréhender la vérité.

Le lendemain matin, pourtant, ma mère vint me secouer comme d'habitude. Je remarquai cependant que son geste était plus doux qu'à l'accoutumée. En ouvrant les yeux, je vis les siens. Et même à travers le voile brumeux de mon sommeil incomplet, je remarquai qu'ils étaient gonflés, rougis et violacés.

– Sois gentil aujourd'hui, veux-tu ?

Je ne dis pas un mot. Je fus gentil toute la journée. Et toutes celles qui suivirent aussi.

Ce qui n'empêcha pas mon père de me donner des volées bien méritées, mais quotidiennement. Et plus fort. Je goûtai à toutes les médecines, les mains, la ceinture, et même la laisse du chien transformée en fouet pour l'occasion. Probablement une façon comme une autre pour mon père de laver sa colère et de punir ma mère. Peut-être est-ce pour cette raison que je resterais fils unique jusqu'à la fin de ma vie...

Dès ce jour, je fus orphelin de deux pères.

Et de ma mère quelques années plus tard.

Je quittai la maison à la minute de mes dix-huit ans.

Je ne sais même pas si mon père vit encore.

Et je m'en fous.

Nous avons fermé le restaurant, Naÿle et moi. Longtemps après le dessert, longtemps après le café, longtemps après le dernier bâillement du serveur. Après ma confession, nous avons continué de parler à bâtons rompus. Mais d'autre chose. Il fallait laver notre espace de la laideur du monde. Une compagnie d'anges armés de balais aériens a voulu s'en occuper, mais nous avons préféré le faire nous-mêmes.

Alors nous avons parlé, de sa nouvelle, de ma page blanche, de mes poèmes, aussi, de ses ambitions, de mes remises en question, de ses rêves, de sa jeunesse, de ma crainte de la vie qui fout le camp... C'était comme un flot de vie qui me traversait le corps et l'âme dans tous les sens, et quand nous avons prononcé le dernier mot de la dernière phrase, j'ai réalisé que le temps n'existait plus. Entre nous, il ne restait qu'un peu d'espace qu'un simple geste pouvait remplir. Alors nous nous sommes tus, nous nous sommes souri, comme pour refermer sur nous la bulle de ce beau moment d'intimité.

C'est un ange de douceur que j'ai senti passer à ce moment précis. Un ange que j'ai vu naître dans les yeux de

Naÿle, ses grands yeux qui, ce soir, avaient pris une couleur d'azur. Merveilleuse toile de fond pour un vol plané angélique en duo.

De retour à l'hôtel, j'ai raccompagné Naÿle jusqu'à la porte de sa chambre. Peut-être un peu de la magie s'était dissipée sur le chemin du retour, car au moment de se dire bonsoir, j'ai senti un flottement, un malaise, aussi léger soit-il. Qu'est-on censé faire lorsqu'on a passé une si délicieuse soirée, quand on a senti cet irrémédiable rapprochement entre deux êtres qui se comprennent, cette complicité de sourires et de pensées ? Se jeter dans les bras l'un de l'autre et s'embrasser avec passion ?

Mais la vie n'est pas un film, et Naÿle ne m'a pas laissé le temps de trouver ma propre réponse.

– Eh bien... merci pour cette agréable soirée. Bonne nuit, Didier, à demain.

– Je suis désolé pour l'histoire de mon père...

Mais Naÿle a posé son doigt sur ma bouche. Ce qui vient d'être dit est déjà du passé. Revenir en arrière, c'est faire un faux pas.

Encore un regard, puis Naÿle m'embrasse sur la joue en me tenant les deux côtés du visage avec ses mains. Puis elle me gratifie d'un dernier sourire avant de disparaître comme Cendrillon au douzième coup de minuit. Je reste sur le pas de sa porte et je me sens citrouille, me demandant pourquoi elle m'a embrassé si près de la bouche. C'est fou ce qu'un simple geste, un simple baiser, peut prendre comme importance quand l'esprit fourmille de questions et d'incertitudes.

Après quelques secondes d'éternité devant sa porte, je reviens sur terre en me demandant où se trouve la frontière entre l'amour et l'amitié.

– Il y a un sentier qui mène directement à la cascade, m'explique Benoît en pointant une ligne rouge sur une carte de la région. L'eau est un peu froide mais super propre.

– Oui et on va même pouvoir se baigner à poil si on veut ! claironne Martine visiblement très en forme.

Petit déjeuner sympathique et en plein air près du chalet. La table croule sous les pots de jus, de sirop d'érable, de confitures, de céréales, de paniers de croissants et de bons pains de campagne. C'est beau et ça sent bon. Personnellement, je me contente d'un verre de jus d'orange ; mon estomac dort encore. Je ne sais pas trop à quoi je ressemble ce matin. J'ai préféré éviter le miroir. Mais je me sens comme un lendemain de veille, sans alcool. Le corps réclame quelques heures de sommeil supplémentaires, ce que l'esprit serait bien prêt à lui donner s'il ne se sentait pas si à l'envers. Que s'est-il vraiment passé hier soir et cette nuit ? Mon cerveau baigne dans une mer brumeuse où naviguent des souvenirs aux couleurs d'irréalité.

Je regarde Benoît plus que je ne l'écoute. De toute façon, je vais suivre la meute sur les sentiers où qu'ils aillent par monts et par vaux dans cette magnifique région des

Laurentides. Je regarde Benoît et rien ne semble avoir changé dans son attitude. La distance socialement acceptable pour une amitié normale entre adultes consentants. Les autres rigolent et font des blagues. Je ne les entends pas ; je suis comme dans un film muet, dans une autre dimension. Peu importe jusqu'où je suis allée cette nuit avec Benoît, c'était par-delà les frontières d'une amitié socialement acceptable.

Le lendemain matin, lorsque je descends dans la salle à manger pour le petit-déjeuner, la plupart des tables sont déjà occupées. Je reconnais quelques participants à l'atelier d'écriture, mais aucune trace de Naÿle. Malgré un petit fond de gêne qui est venu me cueillir à mon réveil, comme la peur du retour à la réalité après avoir vécu un rêve – « Mais qu'est-ce qu'elle va penser de moi ce matin ? » – je suis déçu de ne pas la retrouver ici. Alors je m'assois à une place libre où quatre autres personnes discutent en déjeunant.

Un bonjour discret et quatre regards polis plus tard, je me lance à la recherche du menu. Que je ne vois nulle part. Je dois avoir l'air d'un dinosaure téléporté au milieu d'un troupeau de mammifères, car ma voisine me regarde d'un drôle d'air.

– C'est un buffet, me susurre-t-elle à l'oreille.

Un sourire valant mille mots, je lui affiche le premier qui me tombe sous la main et m'éclipse maladroitement vers les montagnes de victuailles que je n'avais pas remarquées en entrant, tellement ma quête était vouée à Naÿle.

Il y a là de quoi nourrir la ville de Québec au complet, mais je me contente de la ration normale des quatre groupes alimentaires conseillés. De retour à ma table, j'essaie de m'enfermer dans la bulle de ma solitude, malgré les efforts soutenus de ma voisine pour m'inclure dans la conversation.

– J'avais pensé à un roman érotique, me dit-elle en aparté, comme pour me mettre au courant de l'état de la conversation, mais je manque de... heu... comment dirais-je...

– D'expériences ! s'esclaffe alors mon voisin de gauche qui a entendu.

Quelques rires tout aussi entendus fusent de part et d'autre de la table. Je suis tombé sur le groupe des rigolos de service.

– Il n'est jamais trop tard pour s'instruire, lance un petit gros en face de moi, comme pour me donner raison.

– Ne les écoutez pas, ricane jaune ma voisine. Ils sont comme ça depuis le début. Et vous ?

Question générale s'il en est une. C'est comme essayer de répondre à quelqu'un qu'on n'a pas vu depuis des lustres et qui demande : « Pis, quoi de neuf ? » Mais si c'était facile pour moi de m'ouvrir à Naÿle hier soir, c'est différent ce matin. Je ne suis pas prêt à déballer les pages blanches de mes grandes questions existentielles devant des gens avec lesquels je n'ai aucune affinité. Snob ? Peut-être. Sélectif ? Assurément. L'expérience m'a appris, douloureusement parfois, à ne pas ouvrir ma bulle à n'importe qui. Bref, j'élude la question et reporte subtilement le feu des projecteurs sur ma voisine, qui s'avère une source intarissable de babillages anodins. Ce qui me permet d'engouffrer mes œufs bénédictine sans problème.

Mais je ne peux empêcher une terrible pensée de s'insinuer dans mon esprit : et si Naÿle cherchait à m'éviter après notre soirée ?

L'esprit est un vagabond qui erre de-ci de-là lorsque trop de questions restent sans réponses. Pour sa défense, il faut dire que les ombres du passé sont autant de nuages dans un ciel qui recouvre notre présent à notre insu.

Je n'aurais jamais dû lui parler de mon père !

Mais pourquoi je m'en fais toujours tant ? Naÿle vient soudain d'apparaître, comme dans un film. Rien de plus naturel, Naÿle fait du cinéma ! Elle est là et me regarde intensément. Je voudrais détourner les yeux pour ne pas être avalé par sa force d'attraction. Soutenir son regard, c'est communier avec elle, accepter sa communication, donner une réponse à sa demande muette. Car si le message est silencieux, il est tout à fait clair. Je sens fort bien les intentions qui l'habitent en ce moment. Ça me gêne, plus par couardise que par gêne réelle.

Mais pourquoi fallait-il que ça se passe ici et maintenant ? Pourquoi pas devant la porte de sa chambre hier soir ? Mais peu importe, je ne peux esquiver son regard, et mes yeux se vrillent dans les siens. Alors je perds les pédales, comme un cycliste dévale une pente en sortant ses pieds des étriers, prêt pour le grand frisson, même si tout devait finir par une magistrale et douloureuse chute.

Naÿle a tout senti, tout compris, car en un éclair nos bouches sont soudées l'une à l'autre. Et la minute d'après, nous nous retrouvons dans une petite salle de conférence vide, fébriles et passionnés, comme deux amants qui se découvrent après des siècles d'attente.

Je ne parviens pas à déboutonner ma chemise assez vite, alors Naÿle me l'arrache d'un geste sec, faisant ainsi voler les derniers boutons et les ombres furtives de mes scrupules qui s'accrochent encore. Elle enlève la sienne comme on enlève un chandail, et je l'aide maladroitement pour ensuite me recoller à ses lèvres comme une sangsue affamée. Dans cette étreinte débridée, je me bats à l'aveuglette sur le fermoir de son soutien-gorge qui me résiste comme un vaillant soldat protège sa forteresse. Mais je n'ai jamais été très bon avec les agrafes, et Naÿle finit par le faire sauter elle-même d'un geste expert.

En essayant de me dépêtrer de mon pantalon qui a glissé jusqu'à mes chevilles, je manque de tomber à la renverse, mais Naÿle me rattrape *in extremis*, et je me retrouve à genoux, le visage enfoui dans sa toison d'or.

C'est à ce moment que la porte s'ouvre en coup de vent et que s'engouffre une mini-tornade aux couleurs vespérales...

– Salut, Didier, chuchote Naÿle en venant s'asseoir à côté de moi. Je suis en retard. Désolée, panne de réveil.

– C'est pas grave, dis-je en essuyant un filet de bave qui avait coulé aux commissures de mes lèvres.

– Qu'est-ce qu'il a dit jusqu'à présent ?

– Oh ! Je... heu... Tu n'as pas manqué grand-chose, réponds-je maladroitement.

Naÿle me lance un sourire complice qui achève de me ramener à la réalité.

– C'était chouette, hier soir. Je suis vraiment contente de t'avoir rencontré, Didier.

Mais quelques regards réprobateurs de séminaristes sérieux, que nos chuchotements ont dérangés, renvoient illico toute notre attention sur M. de la Selle et son discours.

Il parle poésie, chanson, rimes, histoires et intrigues. Et nous, élèves studieux et attentifs, nous écrivons, notons, raturons, rêvons. Toutes les idées flottent et tourbillonnent dans mon esprit. J'espère seulement que tout finira par décanter et retrouver sa place dans les grands couloirs de mes archives mnémoniques.

Quelque part au fond de ma conscience, je me dis que chaque mot que M. de La Selle prononce nous rapproche un peu plus de l'issue de la fin de semaine. Rien ne peut freiner cela et le temps semble filer en accéléré.

La journée passe trop vite. J'ai la gorge qui se noue malgré moi.

Dernière pause. Fin de la récréation.

– Prenez n'importe quel journal, fouillez les archives, écoutez les histoires de vos collègues de travail, de vos amis ou de votre famille. Vous verrez qu'il y a des idées de romans à foison dans la réalité quotidienne.

M. de la Selle est parti dans un long monologue qui nous entraîne lentement mais sûrement vers la conclusion du séminaire. Il ressemble à un avocat qui cherche à convaincre le jury de la justesse de sa cause. Au fond, il sait très bien que la plupart d'entre nous rangeront bien sagement nos notes de cours dans une belle chemise toute neuve, comme on range une folie de jeunesse, un rêve inaccessible.

Peut-être en ferai-je partie, malgré mes bonnes résolutions. Mais j'ai des rêves de jeunesse et des rêves de folie que je ne suis pas près de laisser aller.

Les retours à la réalité, quels qu'ils soient, ressemblent le plus souvent à un atterrissage forcé en pleine tempête alors que, quelques minutes plus tôt, on planait au-dessus des nuages, les yeux et l'âme baignés de soleil. Après les rêves et les fantasmes, les projets et les bonnes résolutions, nous voilà revenus sur le plancher des vaches, bien serrés sur notre quotidien qui vomit les secondes et les journées en ordre chronologique.

Attention ! Danger. Ne pas bousculer l'ordre établi. Rester dans le rang. Faire semblant ou faire ce qu'on ne veut pas vraiment faire, parce que c'est juste en attendant.

Mais en attendant quoi ? Que la vie passe ?

Corinne est revenue de sa fin de semaine. Elle était déjà là quand je suis moi-même arrivé. Crevée et enchantée. C'est du moins ce qu'elle m'a dit, même si j'ai cru voir dans ses yeux un voile de quelque chose d'indéfinissable. De la tristesse peut-être ou du regret ? Ce qui ne m'a pas échappé, cependant, c'est la distance qui est revenue entre nous. Comme on l'avait laissée. Personnellement, je me sens d'humeur épineuse.

– Salut, Didier. Ça va ?

Un baiser sec, une brève étreinte, et deux corps qui se séparent. Nous sommes des étrangers.

– Tu m'as manqué.

– Arrête, tu me fais rire ! T'étais avec tes anciens *chums* de collège pendant toute une fin de semaine, à déconner, boire, manger... et que sais-je encore ?...

C'est parti d'un coup, comme une décharge de fusil accidentelle. Je me surprends moi-même, et pourtant je reste de glace, soutenant le regard de Corinne qui me dévisage franchement. Je subodore une réplique cinglante à mon manque de tact. Pourtant, son visage se radoucit rapidement et Corinne se contente de soupirer. Le retour est plutôt mal parti.

– Toi, comment ç'a été ?

Instantanément, le visage de Naÿle s'allume dans mes yeux. Mais Corinne a le nez plongé dans sa valise verte et grande ouverte sur notre lit.

– Super.

– C'est tout ?

– Mes projets d'écriture t'intéressent maintenant ?

Mon ton est encore une fois plus tranchant qu'il ne devrait. C'est vrai que je me sens sur la défensive. Après mûre réflexion avec moi-même et ma conscience, j'ai décidé de ne pas parler à Corinne de ma rencontre avec Naÿle. Elle me pèterait certainement une crise digne d'une tragédie cornélienne !

Corinne s'est redressée pour me dévisager de nouveau. Je sens ses interrogations frapper la porte de mes yeux pour essayer d'y lire quelques fragments d'âme. À moins qu'elle ne profite de ce silence pour reprendre contenance ? Est-ce qu'on joue sans le savoir à celui qui a passé la meilleure fin de semaine ? C'est sûr, elle se questionne.

– Excuse-moi, finis-je par bredouiller en me détournant. Le voyage a été fatigant.

Repli stratégique qui semble porter ses fruits. Corinne retourne à son rangement.

– Qu'est-ce que tu as fait vendredi soir ? Enfin célibataire, j'espère que tu en as profité ! lance-t-elle avec une pointe de sarcasme non dissimulé.

Cette fois-ci, le coup m'atteint en plein ego. Je ne l'attendais pas. Et c'est maintenant l'image de Ludmilla qui s'allume devant mes yeux. C'est drôle, je l'avais presque oubliée ! J'en suis moi-même surpris. Il a suffi d'une petite réflexion pour ranimer son souvenir. Un peu coupable ? J'ai l'impression que les images de Naÿle et Ludmilla flashent comme un néon et que Corinne peut même les voir ! Alors je me sens obligé de contre-attaquer.

– Pourquoi tu dis ça ? Penses-tu que je vais coucher avec la première fille venue juste parce que tu n'es pas là ?

Notre petit jeu a bel et bien repris.

– C'est pas ce que j'ai dit, Didier. Relaxe.

La réplique est sortie en douceur, un peu trop mielleuse. Corinne a le contrôle. Et elle *est* « en contrôle ». Si je m'emporte plus, elle gagne. Et elle aura toutes les raisons de croire que je lui cache quelque chose. Ce qui n'est pas tout à fait faux. Et si elle-même me cache quelque chose, alors je lui donne une tonne de bonnes justifications.

Je respire un grand coup, histoire de ventiler ma fébrilité d'homme envoyé au tapis et qui tarde à se relever. Cinq... six... sept...

– Assez tranquille. J'ai rien fait de spécial.

– T'es même pas sorti ?

Soudain une petite lumière rouge s'allume à la place des images de Naÿle et Ludmilla. Attention ! Terrain miné ! Je suis soudain vraiment mal à l'aise. Tout comme pour Naÿle, je ne veux rien lui dire à propos de ma rencontre avec Ludmilla. Outre la crise de jalousie assurée, c'est une question de survie. Dans l'état actuel de notre couple, ce serait suicidaire. Mais ce qui m'inquiète, c'est ce je-ne-sais-quoi de soupçonneux que j'ai senti dans la voix de Corinne. C'était à peine masqué. Est-ce qu'elle s'apprête à me sortir le grand jeu de la femme trompée après m'avoir testé ?

– Je suis allé prendre un verre ou deux dans un bar. Rien de bien excitant.

– Il me semblait bien, aussi.

– Comment ça ? J'avais un espion collé aux baskets ?

J'essaie de rire, mais ça sort jaune pisseux. Du coup, je m'attends à ce qu'elle me défile mes allées et venues de la fin de semaine en cinémascope avec sous-titrages émotionnels. Après tout, peut-être que son histoire de retrouvailles, c'était du bidon et qu'elle m'a suivi de Montréal à Québec ?

– Je te connais, Didier, peut-être pas comme ma poche, mais pas loin. Pis t'as jamais su mentir, *énéway*.

Ouf ! Je respire un tout petit peu mieux. Mentir ou ne pas dire, telle est la question ! N'empêche que Corinne a le regard insistant, comme si elle n'était pas allée au bout de sa pensée, volontairement. C'est drôle comment on peut se sentir mal dès que l'on décide de cacher quelque chose. Au fond, il ne s'est rien passé avec Ludmilla, ni avec Naÿle, même si je sais pertinemment que cela aurait pu aller plus loin, bien plus loin... Mais comment expliquer à Corinne ce qui s'est réellement passé sans me sentir un tantinet mal à l'aise et coupable ?

Il y a quelques années, pourtant, j'aurais pu tout lui balancer comme ça, dans les moindres détails, sans gêne et sans honte, sans peur de me faire juger ou engueuler. Il y a quelques années, aussi, je n'aurais certainement pas vécu ce genre de situation. Mais aujourd'hui, c'est comme si trop de silences s'étaient insérés entre nous, mois après mois, année après année, trop de vides qui ont fini par faire comme un coussin isolant.

Du coup, je ne veux rien savoir de sa fin de semaine. Je me protège, dans les deux sens. Après tout, qu'a-t-elle fait, elle ?

Je me dirige vers le salon pour m'enfiler un bon verre de porto.

Les retours à la réalité sont trop souvent démoralisants.

L'impuissance est peut-être notre plus douloureuse abdication en ce monde.

Je fais semblant de lire un roman de Marie-Claire Blais, *Un sourd dans la ville*. Semblant, parce que je regarde Didier du coin de l'œil, avachi sur le sofa en train de siroter son porto. À quand l'invention d'un lecteur de pensées ? Un genre de truc high-tech à infrarouge directement implanté dans le troisième œil ? Et puis, cette histoire du *Sourd dans la ville* est trop déprimante pour moi en ce moment. Et peut-être aussi, d'une certaine façon, trop ressemblante à ce que nous vivons Didier et moi. Chacun emmuré dans nos propres pensées. Et je ne peux m'empêcher de revoir les images de ma fin de semaine et de mes amis d'autrefois. Un en particulier. Parfois ce que nous n'avons pas fait nous obsède plus que ce que nous avons fait. Parfois c'est l'inverse. Quels que soient les gens ou les circonstances, la question du juste choix vient toujours me hanter. Les justifications aussi. Je ne m'en sors pas...

Mais ça c'était hier, déjà le passé que je m'efforce d'enterrer. Pour l'heure, je suis de retour dans ma réalité. Et rien n'a vraiment changé. Je me sens impuissante. Face à

Didier, et surtout face à moi-même. Aujourd'hui encore plus qu'avant. Comment ai-je pu imaginer le changer si je suis incapable de me changer moi-même ?

Abdiquer ? J'y pense. Sérieusement. Enfin, peut-être.

À partir de maintenant, je m'éclipse. Je la mets en veilleuse.

Si j'en suis capable... et jusqu'à quand ?

– Les mots sont la clé de tous les mystères.

J'embrasse d'un regard l'ensemble de mes élèves. C'est l'avant-dernier lundi matin avant les vacances, et je sais que mon discours doit prendre le temps qu'il faut pour faire son chemin dans ces jeunes esprits embués.

– D'où l'importance de toujours traîner un dictionnaire avec vous. Je sais que certains diront que je radote, et ils ont raison.

Autre silence calculé. Aucun effet. Je m'attendais à un rire, ou deux, mais les visages n'ont pas encore la lumière à *on*.

– Je disais donc que je radote, mais c'est à ce prix-là que la connaissance et la compréhension feront leur nid dans vos esprits en jachère.

– C'est quoi, *jachère*, m'sieur ?

– Formidable ! Nous avons un premier concurrent en lice. *Jachère*, Marc-Antoine, ça signifie une terre qu'on laisse en friche pour qu'elle se repose avant d'être ensemencée.

Ça se faisait beaucoup avant, mais depuis que l'agriculture s'est industrialisée, c'est une méthode un peu oubliée. Comme le mot, d'ailleurs. C'est comme ça que meurent les mots. Quand ils désignent quelque chose qui n'existe plus ou qu'on ne s'en sert plus.

Et de rajouter, pour moi-même, *intra muros*, comme dirait Georges, c'est le même processus pour les couples. Pour n'importe quoi, en fait. Quelque chose qu'on cesse de faire exister perd toute identité, et vice et versa, évidemment.

– Je sais que la fin des classes approche, et que vous n'avez plus rien à apprendre... enfin, façon de parler. Mais nous allons tout de même faire un petit exercice. Prenez une feuille et écrivez-moi tous les mots que vous avez déjà entendus sans savoir ce qu'ils signifiaient. Je vous donne... disons cinq minutes.

Je rabâche régulièrement mon laïus sur les mots et l'importance de garder notre langue bien vivante. Même si je n'ai pas l'impression que c'est un sujet qui intéresse beaucoup mes élèves, je suis sûr que mon message s'insinue en eux, malgré eux, et qu'un jour cela portera des fruits. C'est un peu comme Ludmilla, l'autre soir, qui continuait de chanter malgré l'apparente indifférence des gens, ou comme la pluie qui s'infiltre dans la terre craquelée pour faire germer je ne sais quelle graine enfouie, peu importe le temps que cela prendra.

Je suis retourné m'asseoir à mon bureau. Pendant que les élèves s'appliquent pour trouver de quoi noircir leur feuille de papier, je ne cherche pas bien loin pour me noircir les pensées. Une fois de plus, le dédale de mes réflexions m'emporte ailleurs. Cette fin de semaine ne nous a pas été profitable en tant que couple. Au contraire. La distance s'est accrue. Tout tend à me confirmer que Corinne et moi nous sommes indubitablement sur une pente descendante et savonneuse. Chacun la sienne. Notre première empoignade après le retour me conforte dans l'idée de revoir Naÿle. Je sais, c'est toujours facile de se donner raison. Mais je me sens comme un alpiniste de haute montagne à peine revenu de sa course et qui trépigne déjà au fond de la vallée.

Revoir Naÿle. Est-ce un aveu de rupture avec Corinne ? Dans ce cas, pourquoi continuer à jouer un jeu qui nous détruit l'un et l'autre ? Pourquoi ne pas jouer franc jeu et consommer la séparation ? Pourquoi ne pas lui dire simplement : « Fini, *game over*, je ne t'aime plus » ?

Parce que je n'ai aucune certitude sur mes sentiments.

Parce que je n'ai plus vingt ans et que j'ai peur de me tromper.

Parce qu'on ne prend pas des années pour se bâtir une vie pour ensuite la détruire en quelques heures.

Les choses ne sont pas si douloureuses ni difficiles d'elles-mêmes ; mais notre faiblesse et lâcheté les font telles.

Facile à dire, monsieur Montaigne !

– M'sieur ! Hé, m'sieur ! Ça fait cinq minutes. Qu'est-ce qu'on fait maintenant ?

Atterrissage d'urgence dans la réalité, une escadrille d'anges aux allures de F-18 aux trousses. Mais c'est plutôt trente frimousses en mutation préadolescente qui me regardent et comptent sur moi pour terminer leur journée au bureau.

– Parfait ! Lucien, ramasse les feuilles et apporte-les-moi. On a le temps de faire un autre jeu avec ça.

Lucien se lève sans hâte et fait ce que je lui ai demandé, comme un robot. Le garçon a probablement eu une double ration d'amphétamines, ce matin. Je blague, bien sûr, mais tout de même...

– Merci, Lucien. Tu peux aller te rasseoir.

Le regard de Lucien semble vraiment plus éteint que d'habitude. Et si on lui avait vraiment augmenté sa dose ? Quand je le vois glisser sur sa propre pente descendante, je ne peux m'empêcher de considérer mes problèmes avec Corinne différemment. Il faudra que j'en parle au directeur. De Lucien, évidemment.

Déjà quelques jours que je suis revenu de Québec, capitale et grand village, de retour à Montréal, métropole et ville de villages. Après le premier accroc avec Corinne, j'ai vraiment éprouvé des difficultés à atterrir dans mon quotidien. Je me sentais comme un planeur que son avion remorqueur a largué en plein ciel, livré à lui-même et aux courants du temps. Mais il vient un moment où le plancher des vaches nous attire irrémédiablement. Et rapidement, j'ai éprouvé une étrange sensation d'étouffement qui n'a fait que s'amplifier depuis.

Jeudi fin d'après-midi. Corinne m'a appelé à l'école pour me dire qu'elle allait faire des courses avec je ne sais trop qui. Alors j'ai soudain envie de ne pas rentrer à la maison, pas tout de suite. Je sens comme un besoin irrépressible de sortir. Ça tombe bien, la *Main* est en effervescence. Paradoxal : j'étouffe et je me retrouve au beau milieu d'une foule dense et bigarrée. Le disque dur de Georges marcherait à plein régime ici. Le nouveau canevas du Québec métissé est vraiment une réussite d'un point de vue physique. Le chaud soleil de cette fin de printemps découvre des formes et des couleurs variées et harmonieuses, surabondance de chair offerte à la brûlure du soleil et des regards. Et on dirait d'ailleurs que le soleil s'est rendu compte de son impardonnable retard, car il chauffe terriblement malgré l'heure !

– Pas cher, pas cher ! hurle un vendeur dont les ancêtres étaient certainement phéniciens.

– Trois paires culottes, vingt dollars, et moi je donne à vous paire de lunettes soleil ! me hameçonne une autre vendeuse toute colorée de sa personne.

La petite bonne femme est d'origine indienne et vendeuse jusqu'au bout des ongles, qu'elle a d'ailleurs très longs et très rouges. Au fond, ça tombe bien, j'ai besoin de regarnir mon tiroir à G-string.

– Et celles-là ?

– Trois pour dix-huit.

– Avec les lunettes aussi ?

Je lui balance mon sourire version grand charme pour centre commercial. Elle me répond tout de go par un air qui veut dire que le client a toujours raison. Je ne me pose même pas la question si c'est taxes incluses, puisque poser la question c'est y répondre. Un gris, un bleu, un noir, et voici vingt dollars. Non, ne gardez pas la monnaie.

– Oubliez pas lunettes ! dit-elle en fourrant prestement le portrait de la reine dans sa poche ventrale tout en me remettant un ours jaune.

Un petit clin d'œil complice et ma vendeuse est déjà avec un autre client. Je choisis des verres bleus. C'est sûr que Corinne n'aimera pas. Mais si je m'étais arrêté à tout ce qu'elle n'aimait pas dans mes choix, je n'aurais jamais rien fait. À propos de Corinne, je la trouve plus distante que jamais, inexistante, même. À coup sûr elle m'évite. Aurait-elle changé de stratégie ? À moins que ce ne soit que le début de la conclusion annoncée ? Mais, après tout, peut-être qu'elle me fait encore la gueule pour Québec ? Comme si elle voulait me faire sentir que mon escapade d'une fin de semaine ne sera jamais qu'une erreur irréparable ? L'art de donner tort. Et elle, alors ? Je pourrais en dire autant !

Même si j'ai décidé de ne pas lui parler de Naÿle, j'ai l'impression que Corinne a senti quelque chose. Ou bien nous, les hommes, nous ne savons pas bien mentir ni cacher nos sentiments, ou bien les femmes ont réellement un sixième sens. Au fait, c'est vrai, elle m'avait déjà posé une question sur ma fidélité avant qu'on se sépare pour la fin de semaine. Pourtant... L'air de rien, je commence à gamberger sur la question. C'est très inconfortable de ne pas savoir ou de penser que l'autre sait peut-être... mais peut-être pas.

– Qu'est-ce qui te fait croire qu'elle sait ? murmure ma conscience inquiète et curieuse.

Alors que je passe devant une devanture qui me renvoie parfaitement cette image si imparfaite de moi, j'enlève mes nouvelles lunettes pour me regarder droit dans les yeux, pour tenter de me mettre à nu. Je m'efforce de penser à Naÿle... Je ne vois rien. Je pousse le jeu plus loin en essayant de m'imaginer en train d'embrasser Naÿle... J'ai beau pousser plus loin mon imagination en repensant au rêve éveillé que j'ai fait à Québec, je ne décèle toujours rien, ni dans les yeux, ni dans le visage. Rien. À part un vague début d'excitation.

Mais qu'est-ce que Corinne a pu voir ? Son attitude ne tend-elle pas à me prouver qu'elle sait, ou du moins sent des choses ?

C'est peut-être par les pores de ma peau ? Une odeur qu'on dégage, des ondes spéciales ? En attendant, je me demande si je vais être capable de continuer à voir Naÿle sans risquer d'enfler ce désir nouveau que je sens naître en moi ? Je me sens comme une femme qui vient de remarquer une petite bosse en massant ses seins. Un petit rien qui partira tout seul ? Ou une tumeur qui grossira en avalant toute autre vie ?

J'ignore jusqu'où cela me conduira, mais je suis prêt à y aller. Si Corinne et moi sommes faits pour rester ensemble, alors nous survivrons au désert que nous traversons. Et Naÿle ne sera que le souvenir d'une belle oasis perdue dans les mirages de ma vie. Pourtant, il m'arrive de me réveiller en pleine nuit, tremblant de désir, tellement le rêve est réel...

Je me détache de mon image et reprends ma marche solitaire sur la grande déchirure de Montréal. Vu d'en bas, le boulevard Saint-Laurent a l'air rongé par un gros ver multicolore aux ondulations incertaines. L'été est vraiment là, avec ses airs de liberté et ses promesses de plaisirs éphémères.

Moi, je ne suis pas libre.

– Excuse-moi, c'est pour ton stylo.

– Pardon ?...

Je me retourne et je fige. C'est probablement comme ça que ça s'est passé à l'ère de la glaciation. Le mammouth sent un petit courant d'air lui caresser le popotin, il se retourne pour voir ce que c'est, et « pfouitt ! », le voilà pétrifié dans un glacier instantané.

Aucun autre mot ne sort de mon esprit qui semble figé devant l'apparition qui se tient tout sourire devant moi.

– C'est pour ton stylo.

J'atterris. C'est brutal, et c'est probablement le choc qui me fait dire une chose insignifiante.

– Mais comment tu m'as trouvé ?

Décidément, la présence de Naÿle a un effet débilitant sur mes fonctions cérébrales, on dirait. Je lui avais dit que j'étais prof à l'école Saint-Timothée. Pas difficile à trouver, il me semble.

– C'est ton boss qui m'a dit que je te trouverais à la salle des profs.

Bien sûr. Il y a ensuite un flottement qui dure quelques secondes durant lesquelles je ressens la gêne de l'ange qui passe. Nous rougissons tous les deux. Un battement d'ailes pour me rafraîchir, peut-être ?

– Euh... un café ? hasardé-je en plein déséquilibre.

– Ici ? gazouille Naÿle en toute indulgence.

Je jette un regard circulaire. Cet environnement m'est tellement familier que je n'en vois plus la laideur. Construction millésime 1960, plus ou moins, où l'important réside dans la fonctionnalité bon marché, pas l'esthétique. Naÿle doit prendre mon silence pour une invitation à poursuivre sa pensée.

– As-tu dîné ?

– J'ai mon lunch.

Réponse totalement inappropriée que je voudrais pouvoir ravaler *hic et nunc.* Mais Naÿle s'empresse de m'enlever tout embarras.

– Il y a une belle petite terrasse pas très loin d'ici.

Cette fille est décidément d'une fraîcheur à faire passer le sirocco pour une brise printanière, tellement la chaleur qu'elle dégage est réconfortante. C'est, hélas ! le moment que choisit Georges pour entrer comme un ouragan dans la salle des profs.

Catastrophe anticipée...

Le con doit se méprendre sur l'origine de mon air béat, car je vois ses yeux soudainement s'illuminer d'un sourire vicieusement coquin en louchant de Naÿle à moi et vice versa, si je puis dire. Et puis « clic, clac ! », la machine à faire des images à souvenirs et des gros plans se met en marche. Mais Naÿle se laisse déshabiller sans cligner des yeux, sans même perdre son sourire. C'est vrai qu'elle est habituée à la présence des caméras. Mais c'est probablement aussi l'assurance de ceux qui savent que le problème n'est pas chez eux.

– Euh... c'est Georges, un collègue, bredouillé-je en trébuchant sur les consonnes. Georges, voici Naÿle... une amie.

Ce con fait une espèce de courbette qui le rend totalement ridicule mais qui a le pouvoir de faire rire Naÿle. Je l'ai déjà dit, Georges est, comme la plupart des hommes, un mutant du Jurassique inférieur en présence d'une belle femme. Pourtant, c'est moi qui gagne la palme de la connerie en tentant maladroitement de justifier la présence de Naÿle et, du même coup, j'attise le brasier de l'imagination flamboyante de Georges.

– Naÿle est venue me rendre mon stylo que je lui avais prêté quand on est allés à Québec... je veux dire quand je suis allé à Québec. On a passé la fin de semaine ensemble... ben... le séminaire, tu sais, je t'en ai parlé ?

Mais Georges ne m'écoute plus, il sourit. Il sourit comme un imbécile qui pense avoir tout compris et débusqué le scoop du siècle !

– On y va ? conclut Naÿle pour couper court.

Je n'ai pas le temps de mettre en ordre une réponse intelligible que je sens la main de Naÿle se glisser dans la mienne. Je l'entends saluer Georges qui me fait un de ses subtils clins d'œil à faire se retourner un aveugle. Puis Naÿle m'entraîne hors de la salle des profs, hors de l'école, hors du monde et de l'univers physique, et je ne reprends mes esprits qu'une fois assis à la terrasse du café *Les Oliviers*. Mais qu'est-ce qui m'arrive ? J'ai vraiment l'impression de perdre le cours de mes fonctions vitales en sa présence.

Combien de gens nous ont vus, Naÿle et moi, main dans la main, marcher comme un couple uni et insouciant ? Combien de profs, d'élèves, de connaissances ?

– Didier, tu m'écoutes ?

– Pardon ?

– Dis donc, tu n'as pas le vocabulaire très étendu, aujourd'hui. Ça va ?

– Oui, oui... C'est Georges... Je pensais à Georges. Je me demande ce qu'il va penser.

– Quoi, t'as peur des commérages ?

– J'ai surtout peur de son imagination. Ça galope tellement là-dedans (je fais un signe circulaire avec mon index près de ma tempe) qu'il se dépasse lui-même et personne ne peut le rattraper.

Naÿle me regarde sans dire un mot. Pourtant, je sens qu'elle comprend mon inquiétude. J'ai l'impression de voir quelques ombres passer dans ses yeux – ombres de souvenirs pénibles et mal enterrés ? Qu'importe l'âge, on a tous un passé. Puis le ciel de son regard retrouve sa couleur claire et indéfinissable. Elle me prend à nouveau la main, sans gêne. Je crois que cela fait partie de sa façon de communiquer.

– Je voudrais que tu lises ce que j'ai écrit en revenant de Québec.

Naÿle me tend un paquet de feuilles où court une écriture nerveuse et passionnée. C'est vrai, Naÿle n'est pas encore rendue à l'ère de l'ordinateur. Je ne vaux pas mieux qu'elle en la matière, car la fenêtre cathodique ouverte sur le monde et qui trône dans le bureau à la maison reste le plus souvent fermée à mon regard.

– J'aime trop les stylos, m'avait-elle dit à Québec.

Moi aussi. Et c'est vrai, je lui en avais prêté un.

Son histoire entre les mains, j'en oublie mes préoccupations, mes craintes, et je me laisse glisser dans l'univers secret de Naÿle. C'est comme entrer dans son intimité, découvrir le fond de sa pensée et déshabiller sa conscience. L'espace de quelques lignes, je partage le lit de sa rivière intérieure, privilège que je goûte avec un plaisir exclusif. L'espace de quelques lignes, je suis le voyeur invité qui découvre sa nudité la plus fragile.

Naÿle ne tient plus ma main, pourtant je la sens tout entière avec moi. Elle m'englobe dans son cocon qui devient l'univers entier. Les mots qui dansent devant mes yeux parlent d'amour et de beauté, de mort et d'infini. Naÿle écrit la vie comme elle la sent, impétueuse et fragile, brûlante et éphémère. Le temps qui passe et s'écrit sur notre passage, le temps que les secondes gravent et enfouissent dans le grand sablier, le temps qu'il nous faut remplir d'amour et de passion si l'on ne veut pas se faire engloutir par le vide.

Quand je repose les feuilles sur la table, je suis songeur. C'est bon signe. Une bonne lecture que je termine me laisse toujours songeur, prêt à écrire moi-même, nourri et désaltéré à la source de l'inspiration.

– T'aimes pas ?

Déjà à Québec, j'avais remarqué que ce strip-tease de l'âme rendait Naÿle soucieuse. Mais ce n'est rien comparé à moi qui fonds littéralement quand je fais lire mes « créations », ce que je ne fais jamais d'ailleurs, sauf si je suis obligé.

– J'ai peur d'être maladroite, de ne pas trouver les bons mots, tu comprends ?

Oh ! que oui ! je comprends.

– C'est normal, non ? réponds-je avec la nonchalance d'un écrivain parvenu. Je pense même que les plus grands auteurs ont cette trouille. Ce n'est pas pour rien qu'il y a des correcteurs.

– Mais ça va plus loin que la simple syntaxe ou les fautes de grammaire. C'est ce que je dis dans mon histoire... j'ai peur de ne pas savoir bien l'écrire, de ne pas être comprise.

– Alors t'es vraiment une artiste ! Il n'y a que les artistes pour réagir et parler comme ça !

Naÿle prend mes mains dans les siennes en me décochant son sourire « recette secrète non homologuée ».

– Merci ! Toi, tu sais vraiment dire les bonnes choses.

J'aimerais que Corinne entende ça...

Le reste du repas passe vite, trop vite. Naÿle parle, je parle, on parle et nos mots et nos mains se touchent et s'entrechoquent, on s'écoute, on rit, on se touche du bout des doigts, et je sens nos univers qui de nouveau se rapprochent et se respirent. Tout cela semble si naturel et si léger. Je me demande ce que Naÿle pense de nos rencontres. Y voit-elle plus qu'une amitié, une promesse d'autres possibilités ? Non, les femmes sont plus simples, l'esprit moins tordu. Personnellement, je vogue entre deux eaux, comme une carpe remontée du fond de sa rivière vaseuse vient se chauffer au soleil. Deux univers se touchent et c'est si bon...

Pourtant, malgré la légère euphorie qui m'habite, je ne peux empêcher un soupçon de malaise de s'insinuer quelque part au fond de moi, comme une pensée coupable qui me plomberait le moral. Ou la morale ? Après tout, il y a une femme qui m'attend à la maison. Bon, peut-être qu'elle ne m'attend pas vraiment, mais je n'ai encore fermé aucune porte.

Corinne était déjà à la maison quand je suis rentré en fin d'après-midi. Nous nous sommes rapidement mis en mode automatique, comme c'est le cas depuis qu'on est rentrés de nos escapades respectives. Elle, surtout. Mais c'est devenu un genre d'accord tacite qui permet d'éviter tout affrontement. Je me demande quel est le vent qui finira par balayer tous ces nuages ? Changer d'horizon ?

– Pis, bonne journée au bureau ? lancé-je d'un ton badin.

– Je travaille aux archives de la Bibliothèque nationale, Didier, pas dans un bureau.

Et paf ! La table est mise. Est-ce à cause de ma rencontre de l'après-midi avec Naÿle ? Je n'ai pas envie de débattre.

– C'est une façon de parler.

Haussement d'épaules, moue du visage. Corinne prend un air blasé. Pourtant, elle s'efforce d'entretenir la conversation comme pour entretenir un semblant de vie entre nous. Médicalement parlant, c'est artificiel : vie végétative.

– La réceptionniste est toujours aussi chiante et incompétente. Mais le boss ne voit que ses yeux, son sourire, et surtout, ses boules. Toi ?

L'espace d'une fraction de seconde, je veux couper le « pilote automatique » et lui raconter ma rencontre impromptue avec Naÿle, histoire de me mettre à table et de faire table rase, genre « ça passe ou ça casse ». Mais la même espèce de malaise revient d'un seul coup. Ça fait comme un barrage aux mots que je m'apprêtais à dire. Les remparts qui nous retiennent sont-ils les mêmes que ceux qui nous protègent ?

– Une fin d'année bien ordinaire.

La soirée s'est passée sur le même ton, dans notre coin de Provence, mais chacun dans son propre coin, avec un livre, une revue, ses pensées, ses secrets.

– Bonne nuit, je vais me coucher. Je suis complètement crevée.

Un rapide baiser déposé au passage sur le cuir chevelu, et Corinne n'est déjà plus qu'une vague odeur de parfum qui s'évade dans la nuit. Ce parfum que j'ai tant aimé la première fois que je l'ai senti s'exhaler de Corinne et qui a toujours eu le pouvoir de faire chavirer mes sens. Encore maintenant, j'avoue humblement. La chair est faible, surtout celle de l'homme. Mais ne dit-on pas que les odeurs sont les plus puissants évocateurs de souvenirs ?

Après de longues minutes d'une méditation solitaire et silencieuse de la voûte étoilée, je finis par me lever à mon tour. J'ai soudain un coup de cafard. J'aimerais retrouver ces sentiments qui m'habitaient il y a quelques années. Mais tout cela me paraît si loin, si irréel. C'est peut-être con, mais une boule de tristesse s'insinue dans ma gorge. Corinne, je m'ennuie de toi, de nous. Pourquoi est-ce avec toi que j'ai décidé de vivre, mais que c'est une autre qui prend de plus en plus de place dans mes pensées ? Est-ce qu'on peut faire l'amour à l'une tout en aimant l'autre ?

Quand je rentre à l'intérieur, tout est calme et silencieux dans la maison, et j'ai soudain cette idée folle que notre vie à deux n'est peut-être pas si moche, qu'il y a sûrement quelque chose à faire pour nous retrouver. On s'est perdus, d'accord, mais peut-être pas totalement ? Bien sûr, il y a le quotidien qui installe à notre insu ses habitudes confortables et réconfortantes. Puis viennent ces périodes de doute, ces orages passagers et ces passages à vide. Mais n'est-ce pas ça la vie ? Un mélange de victoires et de défaites, d'amour et de haine, de beautés et de laideurs ? L'important n'est pas de chercher absolument à proscrire tout ce qui est laid, mais de faire en sorte que la beauté prenne la plus grande place.

Une fois de plus je repense à Naÿle. Furtivement, mais pas comme un amant qui soupire. Peut-être cette fille n'est-elle pas réelle ? Peut-être n'est-elle qu'un ange qui a vu ma détresse, *notre* détresse, et qu'elle n'est entrée dans ma vie que pour y insuffler une bouffée d'espoir et de jeunesse ?

Le regard que je porte sur cette maison et sur mon existence semble tout à coup différent, et je me sens soudain baigné d'un élan de tendresse, quelque chose qui me dit que l'amour et l'éternité coexistent quelque part.

Quelques secondes plus tard, je me glisse aux côtés de Corinne, tout aussi nu qu'elle. Malgré la chaleur, je me colle contre son corps moite. Je peux sentir le petit courant d'air frais qui descend de la fenêtre et cherche à s'insinuer entre nos deux *nous*.

Mais Corinne ne réagit pas. Aucun mouvement, pas même un petit grognement pour faire fuir l'intrus. Dort-elle vraiment ? A-t-elle gardé son armure de froideur distante ?

Mais je n'ai pas envie de quémander. Alors je décroche, arrimage avorté. *Major Tom to ground control... Discovery* retourne dans l'espace, son espace, en quête de nouveaux rivages habités.

Exit la tendresse ; bonjour tristesse. La chimie des corps n'opère plus. Mais qu'en est-il de celle des êtres ? C'est évidemment cette dernière qui devrait être présente avant tout, sexe ou pas. Et je ne peux m'empêcher d'avoir cette pensée hautement philosophique :

La rencontre de deux corps, c'est du sexe.

La rencontre de deux âmes, c'est le bonheur.

– Sais-tu qui est le meilleur ami de l'homme ?

Je dévisage Mireille d'un regard oblique, subodorant un piège dans sa question d'apparence anodine. Elle m'a invitée à aller prendre un verre dans un bar du centre-ville, après le travail. « Pour parler entre femmes ! »

Entre femmes ? Mais qu'est-ce qu'on fait au bureau à longueur de jour ? Seul le boss est un homme, et c'est à peine s'il nous reconnaît quand on le croise ! Et puis, j'ignorais que Mireille pouvait sortir de sa banlieue pour autre chose que le travail.

– Heu... le chien, non ? finis-je par répondre en sourdine comme un élève pas sûr de sa réponse.

– Eh ben, voilà !

Là je prends mon regard d'analphabète confronté aux œuvres complètes de Pascal en *vieux françois*.

– C'est même pas la femme ! On part de loin, non ?

Je n'avais jamais vu cela sous cet angle.

– Alors ne te demande pas pourquoi tu ne tires rien de ton Didier. Il en dit plus à son chien qu'à toi !

– On n'a pas de chien. Et de toute façon, je ne vaux pas mieux que lui...

– Oh ! arrête avec ta culpabilité de vierge judéo-chrétienne !

Je m'apprête à répliquer, mais à quoi bon ? Tout ce que je pourrais dire serait retenu contre moi. Maintenant je comprends ce qu'elle voulait dire par « parler entre femmes ». Et je regrette de m'être ouverte à Mireille. Une toute petite fois, pourtant, à peine un entrebâillement. Mais il n'en faut pas plus à Mireille pour se brancher à cette source intarissable qu'est le potinage des femmes sur les hommes.

Ah ! Francine, mon amie, ma confidente, pourquoi es-tu partie si loin au moment où j'aurais eu le plus besoin de toi ?

Ai-je cru à tort que je pourrais profiter de « l'expérience » de Mireille ? « Exemple de vie » à ne pas suivre ?

Je n'avais pas besoin de cela pour m'en convaincre.

Mais au fond, qu'est-ce qui nous différencie, Mireille et moi ? Je la considère comme la prisonnière d'un mariage raté, la victime d'une vie de merde. Et moi, donc ? Incapable de réparer la déchirure entre deux âmes, pas plus que de couper les ponts d'une relation suicidaire qui nous conduit déjà au fond d'un abîme, Didier et moi.

– C'est une question de territoire et de droits acquis, monologue Mireille en sirotant un verre de bière, une entorse à son thé magique. Le jour où tu comprends qu'il y a plus d'avantages à être deux qu'à être seule...

Mireille continue seule son exposé sur l'idéal du couple pendant que j'effectue un repli défensif à l'intérieur de ma bulle.

Une chose nous différencie, pourtant, Mireille et moi, fondamentale : l'espoir. Si je suis encore avec Didier, après tout, c'est que j'ai peut-être encore espoir que tout peut s'arranger ? Même si Didier n'y croit peut-être plus. Mireille, elle, n'en a plus du tout, d'espoir, et depuis longtemps. C'est ça qui les unit, elle et son mari.

Savoir que tu vas finir tes jours avec quelqu'un que tu n'aimes pas, ou plutôt que tu n'aimes plus, c'est encore pire, rien que pour ne pas perdre tes acquis matériels... Rien qu'à y penser, j'en ai des frissons !

– Chacun connaît ses frontières et celles de l'autre, et on ne les franchit jamais, continue Mireille. C'est une règle fondamentale.

Une telle relation est comme un corps sans âme.

La dernière fois que nous avons fait l'amour, Didier et moi, c'était un peu ça. Deux corps sans âmes. L'appel irrépressible et millénaire de la chair, l'union du mâle et de la femelle, pour la survie de l'espèce. Même si le résultat est stérile.

– Il faudrait trouver le moyen de se parler une bonne fois pour toutes, peu importe les conséquences, finis-je par dire à voix haute, plus à moi-même qu'en réponse à Mireille.

– C'est sûr, mais pas de n'importe quoi et pas à n'importe quel prix non plus, répond Mireille toujours dans son raisonnement.

Tant qu'il reste une étincelle d'espoir, la vie peut encore respirer. Sinon, c'est le néant, la mort qui se cache sous une apparence d'existence.

– Le bonheur a un prix, ma vieille : sa création perpétuelle, jour après jour.

Mireille cesse de siroter son houblon ambré et me dévisage avec l'œil du poisson que l'on vient de sortir de l'eau et qui ne comprend pas ce qui lui arrive. Peut-être a-t-elle cru que la « vieille », c'était elle ?

– Corinne, tu m'inquiètes, articule-t-elle enfin en me prenant le bras.

– Quoi ?

Moi-même j'atterris en catastrophe, expulsée de ma bulle de réflexion.

– Tu rêves encore ! T'es trop idéaliste. Le bonheur, c'est bon pour les premières années, et encore ! Après, c'est juste un argument pour vendre des thérapies en caisse de douze.

Je ne peux m'empêcher de sourire à Mireille. Est-ce un clin d'œil à ma propre démarche ?

– Ris pas, c'est vrai ce que je te dis ! Un jour, il faut que tu te fasses une raison. Tu verras, si tu y penses comme il faut, tu souffriras moins.

Je me demande parfois si Mireille me voit vraiment telle que je suis. A-t-elle vraiment conscience qu'un monde nous sépare ? Mais si je souris, c'est aussi parce que Mireille me renvoie l'image ridicule et pathétique de deux êtres qui sont l'un en face de l'autre, chacun sur sa propre planète, sans que ni l'un ni l'autre n'en aient conscience. Dis donc, ça me fait penser à quelqu'un...

Ce n'est pas parce que l'on parle que l'on communique.

– Je dois y aller, dis-je en me levant d'un bond. Merci pour tes conseils, Mireille. Ça me fait réfléchir, vraiment.

Je suis sûre que Mireille aurait pu me garder là encore des heures. Mais j'ai soudain eu envie de continuer seule mes tergiversations.

Il faudra peut-être que je parle de ma fin de semaine à Didier. Certainement, même. Je sais que de loin c'est facile à envisager. Car une fois debout devant l'autre, les mots semblent aussi difficiles à sortir qu'une écharde enfoncée trop loin sous la peau. Mais qu'est-ce qui fait le plus mal ? Extirper le corps incongru ou garder le *statu quo* ?

Pourtant, j'ai la conviction qu'il reste encore une étincelle en moi.

Mais Didier ?

Peut-on aimer deux femmes à la fois ? Je veux dire, sincèrement, honnêtement. Le débat que je tiens *in petto* dépasse les frontières de la bigamie, de la morale, même. Et me dépasse moi-même. Car il ne s'agit pas de sexe, mais de sentiments humains, d'amour, ce souffle de vie totalement immatériel et qui, pourtant, peut nous mettre tout à l'envers, nous rendre insomniaque et stupide, sourd et aveugle, et nous faire faire les pires conneries.

J'ai encore rêvé de Naÿle la nuit dernière. Et ce n'était plus un ange de lumière venu m'apporter ma rédemption. C'était un ange de chair et de passion qui me consumait corps et âme.

Je me suis réveillé perdu et éperdu. Et je n'ai pu me rendormir.

Mon grand-père, si je l'avais connu, m'aurait certainement dit qu'il ne faut pas courir deux lièvres à la fois. Mais il ne s'agit pas ici de courir comme au temps des cavernes.

Peut-on aimer une autre femme que celle avec qui l'on vit depuis des années sans la tromper ? Autant Naÿle me fait quelque chose qui, je le sens, pourrait me faire basculer de l'autre côté de la barrière, autant je sens encore un attachement certain pour Corinne. À moins que ce ne soit de l'amour muté en amitié ? Une tendresse que le temps a déposée sur nous comme le limon se couche sur le lit de la rivière ?

Oh ! et puis, je n'y comprends plus rien. Et j'ai décidé de laisser aller. D'ailleurs, nous avons convenu de nous revoir, Naÿle et moi. Malgré les risques et les dangers de se retrouver un jour plus loin que nous ne l'avions imaginé au départ. Selon moi, évidemment. Autant mes questions existentielles me font chier, autant j'aime ce *feeling* quand je suis avec Naÿle. Sa jeunesse et sa fraîcheur m'attirent comme un ridicule petit aimant vers une centrale hydroélectrique. Je sais pertinemment que, sachant cela, Corinne me traiterait de vieux salaud macho phallocrate, de traître libidineux, de profiteur vicieux, et j'en passe et des meilleures. Mais je mettrais cela sur le compte de la jalousie, ou de la peur du temps qui s'accroche et s'incruste dans chaque cellule de son corps. Et puis, pourquoi se plaindre de perdre ce qu'on ne retient pas ?

Comme je le disais, Naÿle et moi, nous avons décidé de nous revoir, mais pas au café Les Oliviers. Je ne voulais pas risquer d'être vu et revu en sa présence par des collègues ou des élèves. Naÿle s'en moquait, mais pas moi. Encore un symptôme de culpabilité latente ?

Mais nous n'avons pas fixé le prochain rendez-vous. Le premier qui sent le besoin de revoir l'autre appelle. Pour moi, c'est comme un baromètre de l'intérêt mutuel que nous nous portons. Même si je suis sûr qu'elle n'y voit que des rencontres d'échange et de travail, moi j'y vois aussi le plaisir de sa présence, le plaisir de sentir son parfum, de l'écouter parler avec une passion juvénile de ses travaux, d'entendre son rire frais et cristallin déchirer le voile de mes incertitudes. Le plaisir de me sentir encore jeune.

Cela me rappelle d'ailleurs la première fois que je suis tombé amoureux.

Et j'attends son appel comme un jeune premier.

Le repas est silencieux. On se croirait chez les moines cloîtrés ! Seul le cliquetis des couverts nous rappelle la présence de l'autre. Je m'attends à tout instant à entendre la voix rauque et profonde d'un frère tondu nous réciter la dernière épître de saint Paul !

Corinne est dans son monde, moi dans ma bulle. Rien de nouveau sous la lune. Ce début de soirée est pourtant magnifique, juste une petite brise tiède et légère. Mais il me semble qu'un microclimat de basse pression survole notre petit espace. C'est lourd.

– Et si tu faisais une thérapie ? lance Corinne à brûle-pourpoint.

Son ton est neutre, mais la question est tellement inattendue que le bataillon d'anges qui planaient autour de nous semble être venu se poser d'un coup sur mes épaules. Comme moi, ils regardent Corinne, éberlués.

– Pourquoi moi ? finis-je par balbutier en avalant de travers.

– J'en suis déjà une, Didier. Tu te rappelles ? Mais toi, on sait jamais, ça pourrait aider, non ?

Le ton et l'attitude sont un peu gauches, mais Corinne garde son calme. Peut-être que je deviens parano, mais j'ai peur qu'elle me cuisine quelque chose en secret. Alors je me sens obligé de la provoquer, histoire de voir si c'est vraiment sincère.

– C'est vrai, tu as raison. C'est toujours à cause des autres.

– Pourquoi tu compliques tout ? C'est pas ça que...

– C'est ta psy qui t'a fait cette brillante recommandation ?

– Oh ! lâche-moi avec ma psy ! finit par répliquer Corinne avec une pointe d'humeur. Au moins je fais quelque chose, moi !

Instantanément je pense à Mme Freud. Je me vois couché sur son divan en train de lui raconter ma vie. Cauchemar. Vite, le crucifix et la gousse d'ail, que je l'exorcise de ma pensée !

– Eh bien, moi je n'ai besoin de personne pour savoir que dès que tu commences à chercher les réponses à tes problèmes en dehors de toi, tu t'éloignes de la solution.

– Je suis sûre que Jésus et Gandhi auraient aimé ton explication ! lance Corinne en ricanant vert et jaune.

– Qu'est-ce que Jésus et Gandhi viennent faire dans notre histoire ? Et puis, ils n'ont pas couru après, peut-être ?

– Ce que tu peux être con quand tu t'y mets !

Corinne dérape. Je le savais, il y avait anguille sous roche.

– C'est probablement ce à quoi ressemblent les gens lucides.

– Con et condescendant ! rajoute Corinne de plus en plus agacée.

– Le con descendant du singe, tout comme l'homme, je ne vois pas où est le problème !

Instinctivement, je sais que celle-là était de trop. Mais on dirait que passé une certaine frontière, on ne peut plus revenir en arrière. Je m'attends bien sûr à voir Corinne éclater comme une bonbonne de gaz surchauffée. J'ai honte de le dire, mais je suis devenu expert en cette matière.

Mais non. Rien.

Bombe à retardement ? Probablement, car je vois tout un arc-en-ciel d'émotions passer dans son regard. Pourtant fixe.

J'attends.

Toujours rien.

Es-ce que c'est à mon tour de l'avoir envoyée au tapis ?

Cinq, six, sept...

Ou bien le scénario aurait-il été corrigé cette fois-ci ? Corinne prend son temps pour tout ravaler. Ou, au contraire, la cocotte minute expire son trop-plein de pression.

Sans bruit.

– Didier, quand est-ce que tu vas devenir adulte ?

Le ton est totalement inattendu. Pragmatique, direct. C'est comme un crochet au menton sorti de nulle part. Je dénote pourtant une pointe de lassitude dans la voix de Corinne, peut-être d'impuissance, même. Début d'abdication ? J'ai un doute. Mais ça ne m'émeut pas. Et je ne peux m'empêcher de répondre avec arrogance.

– Jamais, j'espère ! C'est trop ennuyant !

Seul le ton est arrogant, car la déclaration est sincère. J'ai vu trop d'adultes vivre et mourir coincés et malheureux parce que tellement « adultes ». Mais Corinne ne relève pas mon sarcasme. Elle me fait peur tout à coup. Alors je m'empresse de rajouter une explication, comme pour émousser un peu le tranchant de mon attitude.

– C'est vrai, quoi ! On dirait que vous, les femmes, vous voulez qu'on vous fasse rire mais qu'on soit en même temps sérieux comme des papes constipés.

– Pourquoi on ne peut plus se parler, Didier ?

Changement de sujet. Même ton désemparé. Je vacille. Décidément, c'est la soirée des surprises. Même les anges ont foutu le camp, sentant très bien qu'ils n'avaient plus leur place entre nous.

– Avant on parlait, dis-je en guise d'introduction à ma contre-attaque.

– Avant quoi ?

– Tu le sais bien, avant ta thérapie.

Corinne serre les dents, imperceptiblement. Elle a décidé de rester maîtresse d'elle-même et de la situation.

– Tu n'as jamais accepté le fait que je veuille changer, hein ?

– Changer pour quoi ?

– J'avais besoin d'aller mieux, c'est tout.

– Eh bien, c'est réussi !

Tant qu'à crever l'abcès, autant charcuter comme il faut dans la plaie béante ! Mais Corinne se tait et ne réplique pas. Je sais, je m'y prends mal. Et je me dis que le malaise est probablement plus profond, qu'on n'a jamais eu le courage de creuser jusqu'au fond, jusqu'au bout. Alors je veux croire que j'ai raison, là, maintenant. Sinon, c'est tout le château de cartes de mon orgueil de mâle qui s'écroule.

– Je n'ai pas besoin de qui que ce soit pour me dire quoi dire et penser de ma vie.

– Tu ne comprends rien, Didier.

– Ce que je comprends, c'est que plus tu vois ta psy, plus ça empire entre nous.

– À qui la faute ?

– Ça, je suis sûr que ta psy a déjà dû te souffler la réponse !

Ça ressemblait à un uppercut, ça. Pourtant, Corinne ne se laisse toujours pas démonter. Nous ressemblons vraiment à deux boxeurs pris dans les cordes. On s'étouffe mutuellement et à qui mieux mieux. Mesdames, Messieurs, qui ira au tapis pour y rester ?

– Il y a des réponses que ça te ferait certainement du bien d'entendre, relance Corinne en m'affrontant du regard.

– Qu'est-ce qu'une femme connaît aux hommes ?

– Tu sais, la psychologie des hommes...

– Oh ! tu vas pas encore me faire chier avec tes histoires de Mars et Vénus. T'as pas trouvé mieux dans ta bibliothèque ?

Cette fois, c'est moi qui ai pété les plombs. On tourne en rond.

Corinne, elle, se mord la lèvre inférieure pour ne pas réagir. Pas d'explosion. Juste un genre d'hémorragie interne, une couche de plus sur la tumeur émotionnelle.

Le grand silence qui s'ensuit en dit long sur l'impasse dans laquelle nous sommes engagés. Corinne me regarde longuement, comme si elle me scannait l'âme pour y découvrir une étincelle d'amour. Ou d'autre chose.

Pourtant, de l'amour, j'en ai encore. C'est du moins ce que j'essaie de me faire croire. Véritable espoir ou lâcheté aveugle ? Et de l'amour pour qui ?

Corinne, je sais parler, mais je ne sais pas comment dire. J'ai l'âme en bouillabaisse et je ne sais même pas pourquoi.

C'est pas la faute à qui qu'il faut trouver, c'est le début du pourquoi.

L'amour et la peur ne connaissent pas d'issue[*].

* Ossip Mandelstam, *Poèmes*.

L'atmosphère était trop lourde à la maison. Même le lendemain matin, alors que Corinne est déjà partie à la Bibliothèque, comme si les murs étaient eux-mêmes imprégnés des turbulences de notre couple. Bref, j'ai choisi d'aller à l'école même si je n'ai pas de cours à donner avant la dernière période de la journée.

En mettant la main sur la poignée de porte de la salle des profs, un hurlement vient me déchirer les tympans et me figer dans mon élan. Est-ce qu'on est en train de torturer un enfant là-dedans ? N'écoutant que mon courage et m'abreuvant de mon sang-froid légendaire, je m'apprête à bondir dans la pièce, prêt à défendre la veuve et l'orphelin aux prises avec un quelconque monstre sanguinaire. Mais un autre cri me congèle littéralement sur place et suspend mon geste, comme le temps suspend son vol. Cette fois-ci, c'est une voix de femme, une voix que je connais trop bien : Mme Freud elle-même !

– Tu me mords encore une fois et je te mords moi aussi !

Tout compte fait, je vais attendre avant d'aller risquer ma vie. Que je sache, la psychologue scolaire n'entre pas dans la catégorie de « la veuve et l'orphelin ». Et peut-être est-elle en train de dompter son chien qu'elle a emmené avec elle faute de gardienne ? J'entends effectivement quelques grognements et des bruits de lutte. Une chaise tombe, un autre cri bref : l'animal a mordu. Puis un autre cri, plaintif et déchirant : le dompteur a mordu l'animal à son tour. J'imagine Mme Freud se redressant de sur sa proie, l'œil injecté de sang, la lèvre humide et parsemée des poils du fauve. J'aurais dû faire du cinéma ; j'ai toujours plein d'images et plein d'idées qui me chatouillent l'imagination.

L'air de rien, je m'amuse de ce spectacle improvisé. Ce n'est pas gentil, d'accord, mais cela me permet de voir à quel point la pro du cerveau s'en tire à merveille lorsque vient le moment de mettre en pratique ses théories comportementales. N'empêche que si j'avais l'image...

– Bon ! Maintenant, ça suffit ! Tes crises de bébé gâté, ça va faire !

De nouveaux grognements et gargouillements intraduisibles en guise de réponse. Autres bruits de chaises qui tombent, des pas précipités et la porte s'ouvre violemment. Mais moi je suis toujours là, planté bien droit en attendant de faire mon entrée au moment opportun. C'est alors une petite bombe surexcitée qui fait une sortie en force et me frappe de plein fouet à hauteur des cuisses. Quelques centimètres plus haut et c'en était fait de ma postérité, aussi hypothétique fut-elle. La comète s'écroule à mes pieds en hurlant et pleurant toutes les larmes de son corps pas astral du tout. C'était donc ça qui grognait ?

– Qu'est-ce que vous faites là, vous ? m'apostrophe la psy dont la permanente a pris de bizarres et mauvais plis.

– Ouiiiiiiiiiiiiiin ! crie la chose prostrée à mes pieds.

– Tu vois ce qui arrive quand on n'écoute pas ? répond Mme Freud avec un doigté de sumotori.

Là-dessus, elle agrippe le garnement par le fond de culotte et le remet sur pattes... heu, sur pieds. Il doit avoir cinq ou six ans et continue de révéler quelques belles aptitudes vocales. À ce rythme, les classes vont se vider pour venir admirer le phénomène.

– Et puis, cesse de crier pour rien ! Tu déranges tout le monde !

Ce n'est visiblement pas un élève. J'en conclus donc qu'il s'agit de son fils. Ce que me confirme illico la tendre mère.

– Ne faites pas attention, c'est mon fils. Une petite crise d'autorité.

In petto je pense que, et d'une, il est difficile de ne pas faire attention à la progéniture qui se débat et couine comme un cochon à l'abattoir, et de deux, ce sera quel genre de crise à quatorze ou quinze ans ?

Par prudence, je me suis reculé pour éviter les talonnades de la petite furie qui semble carburer aux stéroïdes. C'est la psy qui se prend tout dans les tibias ; on appelle probablement ça « gestion de crise ». Je suis sur le point de lui conseiller l'arnica pour soigner ses contusions le soir venu, mais elle me coupe dans mon intention de bon chrétien.

– Une stupide histoire de ballon ! On arrive de la garderie où il y avait une fête et son ballon a éclaté en entrant dans l'école.

Tout en parlant, Mme Freud est secouée de spasmes qui lui font trembler le visage en raison des coups de butoirs ininterrompus de la furie filiale. C'est à la fois drôle et pathétique. Cependant, la psy doit se méprendre sur le fond de ma pensée, car son ton devient soudain plus tranchant et ses joues rougissent un peu plus.

– Ne me jugez pas trop vite, M. Lécolo.

Mais elle doit suspendre son propos, car le chérubin vient de lui prendre une bouchée d'anatomie, sa main gauche, je pense. Du coup, la psy hurle et lâche sa progéniture qui en profite pour se faufiler entre ses jambes (et ce n'est certainement pas pour retourner dans la matrice !) et s'enfermer dans la salle des profs.

– Benjamin ! crie la mère à bout. Je vais finir par me fâcher !

Ah bon ? Ce n'était pas déjà fait ? Mme Freud se frotte la main gauche sur laquelle l'empreinte des deux maxillaires filiaux est bien visible. Belle profondeur, bien nettes, je suis sûr que son dentiste pourrait s'en servir sur-le-champ comme moule à prothèses.

– Ne faites rien, s'il vous plaît, m'ordonne Freud, c'est une affaire entre mère et fils !

Mais je ne comptais pas bouger d'un iota, chère madame. Je trouve que vous vous en tirez à merveille !

– De toute façon, vous ne pouvez pas comprendre. Vous n'avez pas d'enfant, *vous* !

C'est vrai, Mme Freud, m'entends-je penser au bord de l'hilarité hystérique, je n'en ai que trente quotidiennement. Mais ça ne compte pas.

La psy belligérante ne me porte déjà plus attention. Elle force la poignée qui résiste un peu avant de céder. Le délicieux Benjamin devait être pendu après pour la bloquer.

Bang ! La porte s'ouvre d'un coup et la psy s'engouffre à l'intérieur de la salle de repos comme le *SWAT* prendrait d'assaut un repère de terroristes.

Bing ! Patatras ! Le chérubin a dû faire un vol plané sans filet à travers la pièce ou bien s'encastrer dans le mur comme un bas-relief. Hurlements, pleurs et invectives ; éducation 101, prise deux !

La porte s'est refermée et le parfum de bagarre s'évapore doucement. L'armistice doit être en négociation. Alors j'en profite moi aussi pour prendre le large. Décidément, on ne connaît pas vraiment les gens que l'on côtoie au quotidien.

Après tout, j'ai une vie bien tranquille, moi.

Une fois de plus, c'est Naÿle qui m'a rappelé. Son message m'attendait sagement dans la boîte numérisée. Immédiatement après celui de Corinne qui me disait de ne pas l'attendre pour le souper. Autre soirée de filles. Bizarre de coïncidence, n'empêche.

– Désolée d'avoir pris du temps à rappeler. Il y a pas mal de tournages en ce moment, et j'ai eu plusieurs auditions.

Quelle que soit l'attente, elle est toujours trop longue quand on a les sentiments qui bouillonnent à fleur de peau. Coincé entre Naÿle et Corinne, j'ai les émotions qui jouent aux montagnes russes. Une comptine de mes tendres années remonte soudain à la surface du présent.

Entre les deux mon cœur balance...

Nous étions une dizaine d'enfants à faire la ronde en chantant à tue-tête, plus de filles que de gars, et chaque fois je me demandais quelle fille j'allais choisir si le sort me désignait comme prince charmant. L'incertitude jalonnerait-elle ma vie depuis si longtemps ?

Naÿle m'a donné rendez-vous sur une terrasse dans un coin tranquille du Plateau. Il était encore tôt, mais j'avais faim, alors l'idée d'une petite bouffe dans un café sympa m'a immédiatement séduit.

C'est à cette occasion que l'inévitable est arrivé.

D'accord, ça fait cliché. Mais la vérité n'est souvent pas plus flamboyante qu'un vulgaire cliché. Comme d'habitude, nous avons parlé, parlé et encore parlé. Et comme à chacune de nos rencontres, la magie a opéré, comme si chaque mot prononcé faisait fondre l'écart de temps qui nous sépare. Je lui ai fait lire un poème que j'avais commencé il y a longtemps et que j'ai enfin terminé. J'en suis toujours à la page blanche 183 de mon roman. Un jour, peut-être, j'y arriverai. Pour l'instant, j'ai d'autres choses à dire.

Chaque fois que je laisse
Le rivage de tes yeux
C'est ton image qui reste
Sur l'écran de mes cieux
Même si le vent m'entraîne
À regagner le large
C'est ton rire que j'emmène
Pour noyer mes orages

Si t'es dans mes pensées
Ne demande pas pourquoi
Un vent de liberté
Souffle toujours en moi
Je suis un voyageur
Qui court après sa vie
Poursuivi par mes peurs
Je pars avec la nuit

Pour une fois, j'avais quelque chose à lui montrer. Quelque chose de personnel, en plus. J'étais assez content de moi et je voulais savoir ce qu'elle en pensait. Fierté teintée d'orgueil à peine dissimulé.

Naÿle l'a lu à voix haute, mais juste pour elle-même. Et j'ai soudain entendu autre chose en l'écoutant murmurer ces mots qu'elle faisait siens, mes mots.

Leur résonance entre ses lèvres prenait un autre sens.

Naÿle s'est soudainement levée.

– Viens. Allons nous promener.

– Où ça ?

– Peu importe. Au hasard... On verra bien.

Nos pas nous ont conduits sur les sentiers qui ceinturent le mont Royal. En cette fin d'après-midi proche du solstice d'été, la lumière est magnifique dans les sous-bois. Au détour d'une boucle du sentier, nous débouchons sur un petit terre-plein qui domine la belle et prétentieuse Westmount. Je m'assois auprès de Naÿle dans l'herbe qui a repris quelques couleurs de jeunesse après un bon arrosage céleste. À nos pieds, Montréal s'étend dans une torpeur paresseuse. Naÿle a les yeux fondus dans le regard de l'horizon.

– *Quand on regarde quelqu'un, on n'en voit que la moitié.*

Elle a dit ces mots avec une gravité que je ne lui connaissais pas. C'est peut-être la preuve de la justesse de ce qu'elle vient de dire.

– J'ai déjà lu ça dans un livre, me dit-elle en se retournant. Ou peut-être était-ce dans un film ? Mais toi, Didier, j'ai l'impression de te connaître depuis toujours. Bizarre, non ?

J'observe Naÿle en silence, essayant de comprendre le fond de sa pensée. Était-ce une invitation à nous aventurer un peu plus sur un autre chemin ? Une incitation à lui communiquer mes véritables sentiments envers elle ? À moins que Naÿle ne fasse référence à mon poème ? Y a-t-elle vu un message que je ne voulais pas livrer ouvertement ?

Je ne connais pas le langage du corps, le langage du non-dit, comme on dit. Et je m'en fous, préférant me fier à mes sentiments, mes sensations, mon *feeling*. Il existe une énergie en chacun de nous, quelque chose d'invisible et puissant, terriblement puissant, dévastateur, même. Et parfois, cette énergie rencontre celle d'une autre personne avec laquelle elle se marie à la perfection, comme deux donneurs receveurs compatibles. Le genre de communion qu'on ne ressent qu'en de rares occasions dans une vie.

En cet instant anonyme au-dessus de la ville, nos regards se vrillent l'un dans l'autre et, soudain, le temps semble fonctionner à l'hyper-ralenti. C'est comme un spectateur que je me vois lui caresser la joue. Instantanément, je sens mon corps s'engourdir sous l'assaut d'une vague de joie, comme un petit volcan de plaisir qui prendrait naissance au creux de ma poitrine pour se déverser jusque dans la moindre cellule de chacun de mes membres. Nous sommes sur la même longueur d'onde, habités soudain d'une seule et même énergie et du même désir de se fondre l'un dans l'autre. Spirituellement, bien sûr !

C'est Naÿle qui franchit la frontière de l'interdit en s'approchant un peu plus de moi. Ses lèvres absorbent l'espace qui nous sépare pour venir atterrir sur les miennes.

Je me laisse faire et envahir par la douceur et la magie de ce contact. Éphémère, égoïste, insensé, cet instant, et nul ne sait jusqu'où un premier baiser peut mener.

Mais soudain j'ai peur. Sans aucune raison, et sans crier gare, c'est une sourde panique qui s'empare de moi. Le volcan se refroidit instantanément et ravale ses vagues de chaleur grisantes. Naÿle m'observe sans rien dire. J'ai peur qu'elle me juge et me rejette.

– Excuse-moi, je ne peux pas.

– C'est pas grave. Je comprends, répond simplement Naÿle.

Ça aussi, c'est cliché. Parce que ça veut tout dire et rien dire à la fois. C'est jamais grave quand on ne sait pas quoi dire, ou quand on est mal à l'aise. Et puis, on comprend quoi ? Pourtant, je sens que Naÿle est sincère, comme si cette énergie qui nous avait unis pendant quelques brèves secondes était encore suffisamment présente pour que je perçoive cette vérité secrète. J'ai un faible sourire de soldat blessé sur le champ d'une bataille perdue.

– Je sais que ça peut paraître con, mais j'ai l'impression de trahir Corinne, et ça, je ne suis pas capable.

Silence que même les anges environnants respectent en restant à l'écart. Je cherche mes mots. Naÿle les attend.

– Tu comprends, je ne peux pas commencer une nouvelle histoire avant d'avoir terminé la précédente.

Silence qui se prolonge d'une parenthèse à l'autre. Parfois j'ai l'impression d'être d'un autre siècle, une sorte de romantique rescapé d'une époque révolue et qu'un vortex aurait recraché par erreur dans le troisième millénaire. Même si je suis conscient de la chance que m'offre Naÿle, de la porte qu'elle entrouvre pour moi, même si je sais que tous les hommes de la création seraient prêts à me piétiner pour prendre ma place, je persiste et conclus.

– Peut-être que ça fait vieille école, ou peut-être est-ce culturel, mais je n'y peux rien. C'est une question de principe et c'est plus fort que moi. Désolé.

– Non, je trouve ça super. Moi, j'appelle ça du respect.

– Mais alors, pourquoi... ? dis-je avec un soupçon d'incrédulité.

– Pourquoi « quoi » ?

– Eh bien, pourquoi tu m'as embrassé ?

– Parce que tu le voulais, et que je le voulais aussi.

– Alors ça ne te ferait rien de savoir qu'on trompe quelqu'un ?

Mon ton est soudainement brusque, mais Naÿle ne réagit pas. Elle sourit comme la Joconde face à Léonard en crise d'incertitude. Après la douceur d'un moment de grâce, c'est la douleur d'une fracture ouverte que je ressens. J'ai le cœur à découvert. Au fond, c'est à moi que j'en veux.

– Si tu décides d'aimer quelqu'un, continue-t-elle, c'est à toi d'assumer que tu es prêt pour ça, non ? Je veux dire... c'est à chacun de faire le ménage dans sa vie, c'est tout.

Je prends quelques secondes pour digérer cette philosophie qui me dépasse un peu. À moins que je comprenne de travers ?

– Autrement dit, ce qui se passe dans ma cour ne te regarde pas. C'est ça ?

Je sens mon agressivité monter sans pouvoir l'endiguer. Mais pourquoi faut-il toujours reporter ses échecs et ses frustrations sur les autres, même ceux qu'on aime, comme une incapacité à assumer seul les conséquences de ses actes ? Je réalise soudain que je me tiens le même discours que je tenais à Corinne dernièrement.

Mais Naÿle est moins émotive que moi et parvient à conserver son calme, même si je la sens un peu désemparée. Elle est impressionnante dans sa jeunesse, et je m'en veux immédiatement d'être si impulsif, incontrôlé. Je suis l'homme mûr, elle la sagesse.

– Je m'excuse, finis-je par bredouiller. Je ne sais plus trop où j'en suis en ce moment.

– Oublie ça. C'est pas grave, je te dis.

Je n'ose pas lui répondre que pour moi, c'est grave. Je sais que mon agressivité soudaine cache une peur plus profonde, comme une eau tourmentée sous un manteau de glace. Comment savoir ce qui est le bon choix ? Comment être sûr que ce qu'on laisse tomber ne vaut plus la peine d'être supporté sur nos épaules ? Au fond, c'est ma vie qui est ébranlée par un tremblement de terre de sentiments divergents, comme des plaques tectoniques entrant en collision dans les profondeurs terrestres.

– Je ne peux pas commencer une nouvelle histoire sans d'abord terminer celle qui est en route.

Pourquoi répéter ? Qui est-ce que je veux convaincre ?

Je me sens soudain vieux, et ridicule.

Naÿle se contente de sourire avec ses yeux.

Elle a l'air d'avoir l'éternité devant elle. Moi, j'ai l'impression de l'avoir déjà dépensée, presque entièrement. Le temps passe si vite, quoi que l'on fasse. Le temps passe bien ou mal, cela dépend de ce que l'on en fait, mais il passe.

Si je laisse Corinne, est-ce que chacun et chacune trouvera sa vraie place ?

Le mensonge est-il le substitut d'une culpabilité non assumée, le précurseur d'un désastre à venir, l'antichambre d'une fin annoncée ? Même si j'ai lu plusieurs bouquins dans lesquels on disait que le mensonge était un phénomène plutôt naturel, voire nécessaire et profitable en certaines occasions dans un couple, j'ai du mal à me faire à cette idée. Ce qui est sûr, c'est que ce n'est pas naturel chez moi ! Et le message que j'ai laissé à Didier sur le répondeur m'a laissé un goût amer dans la bouche. Je lui ai dit que je sortais avec des copines, alors qu'en réalité je suis en tête à tête avec Benoît Dompierre. Nous sommes dans un restaurant aux antipodes de notre quartier, histoire d'être sûre de ne pas y rencontrer Didier. D'un autre côté, aurais-je pu lui dire que je sortais avec une ancienne flamme revue durant ma fin de semaine en célibataire ? Pas sûre que cela aurait été un bon stabilisateur pour notre couple qui chavire.

Je me demande d'ailleurs pourquoi j'ai accepté l'invitation de Benoît. Il est vrai que la fin de semaine s'est quelque peu terminée en queue de poisson. Avec lui, je veux dire. Personnellement, j'en serais restée là. Mais Benoît a insisté pour faire une mise au point, comme il dit.

– Tu comprends, je ne veux pas qu'on reste sur une mauvaise impression. Ce serait trop bête, alors qu'on s'est retrouvés après tant d'années.

Je regarde Benoît avec une moue dubitative. Il est évident que nous sommes allés trop loin, ou pas assez. Ma réflexion muette doit se rendre jusqu'à lui, car Benoît sent le besoin d'en rajouter.

– Corinne, toi et moi, on est des adultes, non ? Il n'est donc pas question que je cherche à te convaincre de quoi que ce soit. Pas plus que je ne veux être le fossoyeur de ta relation actuelle.

– Où veux-tu en venir, Benoît ?

– Nulle part, sinon au fait que c'est ridicule de vouloir résister à ses sentiments.

Pourquoi faut-il que les hommes pensent toujours savoir ce que sont nos sentiments ? Ça m'énerve !

– Je ne suis même pas sûre de ce que je ressens moi-même ! dis-je avec un haussement d'épaules.

– Laisse-moi te dire que c'était clair pour moi en fin de semaine dernière ! réplique Benoît avec un sourire de James Bond tout en posant sa main sur la mienne.

– J'avais besoin de parler à quelqu'un, c'est tout, me contenté-je de répondre aussi froidement que possible.

Pourtant, je sens que mes joues s'embrasent d'un feu incontrôlable. Le souvenir est frais et il s'imprime aussitôt dans mon esprit. Les images et les sensations reviennent me chatouiller l'imagination...

Le premier baiser de Benoît, le goût de sel de mes larmes dans ma bouche offerte, ses mains qui caressent mon corps qui s'abandonne doucement et réveillent une passion que je ne pensais plus jamais revivre. La nuit nous enveloppait dans son lit tiède et le ciel était le seul témoin de ces ébats d'adolescents retrouvés.

Mais je dois repousser ces images, ne pas tomber dans le piège vers lequel la vie semble vouloir me pousser. Quelque chose cloche, et tant que je serai incapable de mettre le doigt dessus, je me refuse à aller plus loin. C'est trop facile d'abdiquer parce que « c'est comme ça, la vie », trop facile de succomber aux tentations tendues comme autant de perches secourables, trop facile (et combien tentant ?) de répondre aux avances de Benoît qui finira par devenir un autre Didier. Je l'ai déjà fait avant, pour m'amuser, faire souffrir ou rien que pour voir. Mais ça ne m'a menée nulle part. Je n'ai plus vingt ans, et surtout plus envie de jouer à la roulette russe avec ma vie.

– Désolée, c'était une erreur de ma part.

– Je ne suis pas d'accord, s'exclame Benoît sans perdre son sourire enjôleur. Rien n'arrive pour rien. Non, il faut assumer nos gestes et nos choix. Regarde-moi.

Je regarde effectivement Benoît comme il me le demande, mais soudain avec le regard suspicieux du poisson face à l'hameçon. Qu'est-ce que je sais de lui, au fond ? Qu'il s'est vraiment ouvert les tripes et l'âme au chalet ? Et que cherche-t-il en réalité ? Se refaire une ancienne blonde ou refaire sa vie ? Improviser des parties de jambes en l'air jusqu'à mourir de fatigue ou jusqu'à se fatiguer de moi ? Si j'ai abattu mes cartes en toute innocence face à lui, que m'a-t-il montré de son propre jeu, de son jardin secret ? Pas grand-chose, quand j'y pense. N'aurait-il pas un peu profité de la situation, juste un peu, et incidemment de moi ? Cette soirée « improvisée » ne serait-elle pas le deuxième acte d'un *remake* de *Tartuffe* ? Des fois j'ai l'impression que les hommes nous prennent pour des paires de chaussettes bien douillettes. Tant qu'on leur fait comme un gant, ils nous promènent fièrement et nous portent aux nues, et accessoirement au septième ciel. Mais dès que le tissu s'élime, s'ajoure ou se troue, nous ne sommes qu'à un jet de la poubelle. Surtout si une autre belle chaussette bien douillette passe à leur portée !

D'accord, j'exagère peut-être un peu. Ne mettons pas tous les hommes dans le même panier de crabes, ou de linge sale. N'empêche que...

Quand elles s'insinuent ainsi dans mon esprit embrouillé, mes pensées secrètes sécrètent toujours en moi quelque fluide venimeux qui me transforme illico en une sorte de femme vipérine. Je n'y peux rien. Si habituellement je sais me contenir, ce soir je n'en ai pas envie. Ô mon cher coussin, m'aurais-tu libérée pour de bon ? Peut-être que je me trompe sur lui, mais je réalise là, maintenant, que Benoît ne sera jamais chaussure à mon pied. Ni chaussette. C'est drôle, mais j'avais oublié ce détail : c'est lui qui m'avait laissée tomber il y a plus de vingt ans. Dommage, je n'ai pas mon coussin sous la main. Mais j'ai mieux : l'individu lui-même !

– Ça t'arrangerait si je quittais Didier, pas vrai ?

Benoît suspend son geste (il me caressait doucement la main, l'air de rien) et me regarde en silence. Je le sens partagé entre l'incrédulité et la joie. Il doit se demander si ma question est une invitation à faire des plans ou si elle ne cache pas quelque entourloupe féminine. Messieurs, messieurs, quand serez-vous dotés d'un sixième sens ? Ou de bon sens ?

– Les choses seraient claires : plus besoin de se cacher, de dire des mensonges, de tergiverser.

C'est moi maintenant qui joue avec sa main. Si au début je ne faisais que laisser aller mes doigts dans sa paume ouverte, plus je parle, plus mes ongles deviennent agressifs.

– Tu pourrais me baiser sans crainte de voir le conjoint trompé débarquer chez toi armé jusqu'aux dents.

Benoît essaie discrètement d'enlever sa main, mais elle est coincée entre son verre de vin et son assiette. Mes ongles sont des clous prêts à le crucifier comme un Judas mis à nu.

– Tu me montrerais fièrement à tes collègues et amis, comme la flamme enfin reconquise après tant d'années, un trophée encore acceptable malgré le temps écoulé.

– Mais de quoi tu parles, Corinne ? Tu n'y es pas du tout, je...

– Dans le fond je suis une belle occasion, pas mal de kilométrage mais bien entretenue, la carrosserie est en bon état et le moteur ronronne sans trop de hoquets, lubrification à l'huile naturelle – pas de synthétique, s'il vous plaît ! – et garantie résiduelle de quelques années encore.

J'ignore moi-même d'où me viennent toutes ces figures de style que je me délecte pourtant à débiter tout en enfonçant un peu plus loin mes ongles dans la chair écarlate de Benoît. Le pauvre s'attendait probablement à une soirée douce et voluptueuse qui se serait terminée chez lui sous le regard de ses estampes japonaises.

– Corinne, tu me fais mal avec tes ongles, murmure Benoît dont le sourire est maintenant factice.

– Ah oui ? Eh bien, ce n'est rien à côté des souffrances que je m'évite en repoussant tes avances intéressées. Non mais faut-il que je sois aveugle à ce point ?

Une dernière poussée de mes ongles durcis depuis des années au vernis et je libère la main du pauvre Benoît. Il se la plongerait bien dans son verre d'eau où flottent des glaçons à la fraîcheur rédemptrice, mais nous ne sommes pas seuls.

– Corinne, ce n'est pas ce que tu penses, balbutie-t-il comme un enfant pris en faute. Je... c'est vrai que j'aurais aimé que toi et moi... enfin je veux dire...

– Eh bien, voilà, tout est clair. Comme ça on ne restera pas sur une mauvaise impression.

Je lance un dernier sourire assassin à Benoît et le laisse seul avec ses idées de communion charnelle inachevée. Si mon revirement m'a moi-même déconcertée, je ne suis pas peu fière de ma réaction. J'ai l'impression d'avoir avancé sur la voie de ma rédemption. Du moins avec les hommes.

Alors que je marche seule et bousculée dans la foule du centre-ville, je me demande tout de même si, au chalet, cela n'aurait pas été préférable qu'on aille jusqu'au bout de nos ébats, Benoît et moi. Tant qu'à faire...

La foule s'écoule sous mes yeux, flot ininterrompu et saccadé d'une marée humaine grouillante sous le soleil de fin d'après-midi. Je suis avec Georges, attablé à une terrasse de la rue Saint-Denis. Ça faisait un bout de temps qu'on n'avait pas eu l'occasion d'aller prendre un pot ensemble. La bière est blonde et fraîche. Je suis sûr que Georges, lui, pense à toutes ces filles blondes, brunes, rousses et chaudes. Ce débordement de chairs, tantôt blanches, tantôt cuivrées, a de quoi réveiller les sensations les plus endormies. J'en conviens. Pensée de macho et politiquement incorrecte ? Pourquoi pas ? Oui, j'aime ce que je vois, et j'en ai marre de cette pensée hypocrite que l'on traduit en mots pour ne blesser personne. Un sourd, c'est un sourd. Un aveugle, c'est un aveugle. Et une belle femme est une belle femme.

Pourtant, je regarde distraitement. Georges enregistre certainement tout en 3D. Sacré Georges ! Si on demandait la même tâche à un ordinateur, le disque dur fumerait rapidement de partout avant d'exploser sous la pression de l'information !

– Eh bien, mon salaud, je ne savais pas que tu avais une vie secrète !

Je sursaute, tellement je ne m'attendais pas à ce que Georges parle.

– Quoi ? réponds-je avec une innocence toute maladroite.

– Ta petite Naÿle, tu me l'avais cachée celle-là.

C'est vrai, nous n'avons pas eu l'occasion de nous reparler seul à seul depuis que Naÿle est passée à l'école. Je ressens un léger malaise, probablement parce que Georges a raison. Mon ange favori en profite pour passer entre nous et me fait un clin d'œil silencieux avant de déguerpir.

– Remarque, tu as le droit d'avoir ton jardin secret. Mais maintenant, je comprends mieux ce qui se passe avec Corinne.

– Ça merde déjà depuis un bout de temps entre Corinne et moi. Et puis, il ne s'est rien passé avec Naÿle, dis-je sans conviction. C'est une amie que j'ai rencontrée à Québec durant l'atelier.

– C'est toi qui le sais, lance Georges avec une pointe d'ironie qui me touche en plein cœur.

– Fais-moi pas chier, Georges, et lâche tes pensées lubriques pour une fois !

Georges décroche son regard de la foule ambulante et me décoche un regard à la gravité papale. Ses yeux scrutent mon moi intérieur, que j'ai d'ailleurs à fleur de peau, et je me sens soudain tout nu.

– Quoi ? lancé-je toujours aussi agressif.

– Ta réaction parle d'elle-même, mon vieux. Tu as le droit d'avoir tes secrets, mais ça change la donne de notre amitié.

– Et pourquoi serais-je obligé de tout te dire ? Je ne te demande rien, moi.

– Pas besoin.

Dure, dure, l'amitié des fois.

– Il y a des choses qui ne se disent pas, c'est tout ! que je me permets d'ajouter comme pour donner du poids à ma défense.

– Et depuis quand ?

Direct ! La question est posée. À partir de quand cesse-t-on de s'exprimer librement ? Un secret aurait-il besoin d'être un secret s'il ne contenait pas une part de honte, de remords ou, à tout le moins, un soupçon de culpabilité ? À moins que ce ne soit de la confusion ?

Georges me scrute encore un instant, silencieux comme un cimetière, puis il me lance une de ses sentences qui me décoiffent chaque fois.

– Si tu mets des frontières à l'amitié, prépare-toi à te sentir envahi de temps à autre.

Le pire, c'est que ce philosophe Ostrogoth du Neandertal n'a pas tort. Mais comment lui expliquer en une pensée simple et réfléchie ce que moi-même je suis incapable de raisonner ? D'accord, je ne lui dis pas toute la vérité, mais c'est vrai que je suis perdu et piégé dans mes indécisions.

– Excuse-moi, vieux, je sais que je marche à côté de mes pompes en ce moment, mais il n'y a rien de plus à dire. Naÿle est une fille que j'apprécie, mais ce n'est qu'une amie.

Georges a repris son observation de la marée colorée qui monte et descend devant notre havre. S'il scrute l'horizon proche, je le sens aussi en mode écoute. Et j'ignore pourquoi, mais je me sens obligé de rajouter quelque chose.

– Mais il y a comme un déclic qui s'est fait en moi. Je ne sais pas comment dire... Et je ne sais plus quoi faire avec ça non plus. J'ai l'impression d'avoir dégoupillé une grenade sans savoir ce que j'allais en faire.

– Eh bien, voilà ! Nous y sommes.

Georges a le sourire en coin. J'aimerais ça, moi aussi. Même si Georges connaît maintenant l'existence de Naÿle, il ne pourra pas plus m'aider. Chacun sa vie, chacun sa merde, chacun ses choix.

Mais cette fois, Georges a décidé d'aller jusqu'au bout.

– Quitte Corinne, reste avec, fais-toi la petite, mais fais quelque chose.

Silence religieux de ma part, ce qui attire inévitablement un autre des anges de faction. Mais, dans mon cas, qui ne dit mot ne consent pas.

– Tu es trop malheureux et l'indécision est en train de t'étouffer à petit feu.

Mon silence s'étire au point que l'ange de garde (mais pas gardien) qui m'est commis d'office se met à bailler.

– Le couple à tout prix, c'est bon pour des gens comme moi et ma Zézette. Toi, t'es déjà d'une autre génération, rajoute un Georges philosophe des grands jours.

– Déconne pas, finis-je par articuler, on est presque du même âge.

– Le décalage des générations, ça se passe avant tout dans la tête, réplique Georges le magnifique en se tapant la caboche. Toi et moi, on n'est pas du même siècle.

– Admettons. Mais dans ta grande sagesse, ô toi Socrate réincarné, dis-moi ce que je gagne à quitter Corinne.

– Ce que t'es en train de perdre en ce moment.

– C'est-à-dire ?

– Du temps de vie.

Je prends le temps d'ingérer une autre gorgée de bière et de digérer cette affirmation qui m'atteint dans tous mes chakras.

– T'as le cul entre deux chaises. Si tu choisis pas, tu vas te retrouver le cul par terre.

– Tu veux dire entre Corinne et Naÿle ? dis-je avec un soupçon d'agressivité. C'est plus compliqué que ça. Même si Naÿle ne m'est pas indifférente, au fond je sais très bien que c'est rien qu'un rêve, un fantasme.

Georges avale d'un trait le reste de son verre de bière, soit environ les trois quarts, et reste silencieux pendant un long moment. Je me demande s'il voit des anges, lui aussi, dans ses moments de silence.

– Dans le fond, ça n'a pas vraiment d'importance, rajoute Georges en s'essuyant délicatement les lèvres, les joues et le menton d'un seul coup du revers de la main. Si je comprends bien, tu ne désires plus Corinne et elle non plus, tandis que la petite, là... elle te fait de l'effet, non ?

– C'est pas si simple que ça, je te dis. Et c'est pas qu'une question de désir, non plus. Des fois je me dis que j'aime encore Corinne et d'autres fois je ne suis plus sûr de rien. Et puis pourquoi est-ce qu'on est encore ensemble malgré tout, hein ? Après tout, j'aurais eu toutes les raisons pour la larguer, et elle aussi, depuis le temps.

Georges semble scruter ses horizons intérieurs pour y puiser un peu plus de profondeur métaphysique.

– Lâcheté ? finit-il par articuler.

Je sais que l'interrogation n'est qu'apparence et que Georges ne fait qu'affirmer ce que je redoute le plus d'entendre.

– Peut-être que, arrivé à un certain âge, t'as pas envie de tout recommencer à zéro ?

C'est la seule défense que je trouve. Elle en vaut certainement une autre. Corinne, c'est bâti sur des fondations, peut-être fissurées, mais des fondations qui semblent tenir encore. C'est du connu, de l'expérience. Pas d'imprévus majeurs, rien pour déstabiliser l'homme fort que je suis. Elle connaît mes faiblesses (trop peut-être ?) et je ne sais pas si j'ai envie de recommencer un nouvel apprentissage avec une autre. Et je me dis que c'est probablement réciproque.

– Tu connais l'histoire d'Orphée et Eurydice ?

– L'opéra de Monteverdi ? Bien sûr, mais c'est quoi le rapport ?

– Orphée aimait Eurydice au point d'aller la chercher aux enfers pour la ressusciter et la faire revenir.

– Oui, et alors ?

– Et alors c'est de la foutaise ! Ça ne marche pas ces trucs-là, même dans les histoires. Moralité, sors des enfers avant que tu te brûles pour de bon !

Là, j'en ai le souffle coupé ! Non pas que je doutais de la culture de Georges – après tout, il est prof d'histoire. Mais qu'il me sorte du tragi-mytho-philosophique de cet acabit pour me convaincre, alors là, chapeau !

Et, au fond, Georges a raison, une fois de plus. Quand j'y pense, il me semble qu'il ne faudrait qu'un souffle pour faire basculer mon univers, dans un sens ou dans l'autre. Et il a doublement raison : je suis lâche. En vérité, je n'attends qu'un signe, une bonne raison, un motif, n'importe quoi pour me dire quoi faire. Je reproche à Corinne ce que moi-même je suis incapable de m'avouer.

Du haut de la pyramide de la chaîne alimentaire, l'Homme tout-puissant se nourrit des plus faibles.

– Tu as raison, je suis lâche. Au fond, je n'attends qu'un faux pas de Corinne, une bonne excuse pour agir. Bref, je vais encore attendre un peu, juste au cas...

Georges me regarde en silence, un sourire amusé au fond des yeux.

– Quoi ? Qu'est-ce qui te fait rire ?

Et soudain, c'est le flash, instantané, éblouissant. Je pense que Georges a eu le même, raison de son hilarité muette.

– Tu penses à ce que je pense ? demandé-je en écho à son sourire.

– Ça fait combien de temps ? Huit ans, non ? On avait eu une discussion assez semblable si mes souvenirs sont bons. Et ça avait fini comment ?

C'était juste avant que je rencontre Corinne. La fin d'une autre relation, douloureuse et mouvementée. C'était quoi, le nom de l'autre ? Ah ! oui, Laure.

Autres temps, autre femme, même problème.

Pourtant, j'aimerais pouvoir dire comme le personnage de Michael J. Fox dans *Retour vers le futur* :

– *Cette fois, l'histoire, elle va changer.*

Le temps est l'une des nombreuses richesses que l'être humain possède mais qu'il ne peut, hélas, mettre de côté. Il n'existe pas de coffre-fort à temps. On n'en fait pas des lingots que l'on peut ensuite faire fondre au besoin dans notre machine à existence. Chacun fait ce qu'il veut de son temps, malgré les apparences, et pourtant, toutes les richesses accumulées n'achèteront jamais une seule seconde de plus.

Et s'il nous est compté, combien m'en reste-t-il dans ma banque ?

C'est une question qui revient souvent me hanter.

Je repense encore à ma fin de semaine avec mes amis d'autrefois, surtout à Benoît Dompierre, que j'ai largué avec fracas l'autre soir.

Je ne me demande plus si j'ai fait le bon choix mais s'il me reste seulement un choix. Quand j'y pense à froid, seule avec moi-même, je me dis que je ne veux certainement pas finir comme une vieille fille !

Alors j'ai envie de laisser encore un peu de temps à notre couple, une autre chance, comme on dit dans les histoires d'amour dramatiques. Je ne peux pas croire que nous n'aurons pas une autre occasion de remettre nos pendules à l'heure. Il faut que le *timing* soit bon, c'est tout. Va pour la crise des sept ans, mais ce n'est pas une raison pour abdiquer. Pas encore. Est-ce que quelques semaines ou quelques mois de crise peuvent totalement anéantir des années de bons moments ?

La vie joue au yo-yo avec moi. À moins que ce ne soit l'inverse ?

Un autre jour d'école évaporé du calendrier. Ça sent de plus en plus la fin des classes. Le soleil d'été s'est accroché pour de bon sur le grand écran bleu. Même la nuit, on sent qu'il n'est pas loin.

Les vacances sont sur toutes les lèvres, à chaque coin de rue, dans l'air même que nous respirons. Les festivals commencent à se succéder en se marchant les uns sur les autres.

Naÿle tarde à me rappeler. Moi non plus, je ne rappelle pas. Quelque chose me retient. La gêne, peut-être. Surtout après notre dernière rencontre.

Et comme je suis un mâle orgueilleux (pléonasme ?), ce n'est pas moi qui ferai le premier pas. Même petit, je voulais qu'on me désire. Pas nécessairement ma mère, et encore moins mon père (remballez vos crayons et tassez votre divan, Mme Freud, j'ai déjà tout dit). J'étais amoureux d'une petite fille, Marie-Christine, je m'en souviens encore. Mais jamais, au grand jamais, je ne lui aurais avoué ma flamme. Il fallait qu'elle-même manifeste ouvertement un intérêt envers moi.

Nous ne fûmes jamais amants.

Naÿle ne m'a pas rappelé. Mais c'est de ma faute. Comment espérer qu'elle me rappelle après ma retraite précipitée de l'autre jour ? Elle s'offre à moi sur un plateau d'argent et je lui dis : « Non merci, pas tout de suite, je vais y penser encore un peu. » Trop d'indécisions finissent par tout arrêter. Qu'est-ce que j'ai manqué là ? Une chance en or de me refaire une nouvelle vie ?

Mais en écho à ces pensées qui me donnent trop tort, je me dis que tout cela n'était peut-être que rêve et fabulation ? Naÿle a-t-elle même jamais existé ?

Peut-être aussi est-ce un signe pour que je retombe dans ma réalité ?

C'est peut-être mieux ainsi. Chacun chez soi, chacun dans ses meubles. Les frontières du temps et de cultures existent, je les ai rencontrées.

En sortant de l'école Saint-Timothée, les rayons du soleil m'accueillent avec chaleur, comme un vieil ami qu'on n'a pas vu depuis longtemps. Mais je ne peux empêcher un spleen insidieux et froid de s'insinuer jusqu'à me transir l'âme et les os. Il fait bien trente degrés, mais je frissonne.

Au même moment un ange passe dans mes pensées (là, ça devient sérieux !), mais il reste neutre. Aucune réponse ne vient jamais du ciel.

Je n'ai pas envie de rentrer à la maison tout de suite.

J'ai le clown triste. Et une fois de plus, je suis allé boire un biberon avec Georges. Plusieurs, même. J'ai l'impression que ça arrive souvent en ce moment, trop boire. Il va falloir que je me surveille. À mon corps défendant (puisque l'âme a abdiqué, si j'ose cette facétie), je voulais noyer mon spleen, l'évacuer avant qu'il ne me bouffe complètement.

Outre mes histoires de cœur, et pour couronner le tout, Lucien m'a livré quelques éclats de ses états d'âme brisée. Les papillons qu'il a en permanence dans l'estomac prennent de plus en plus de place. Ses mains qu'il a de plus en plus moites laissent glisser sa vie vers le bas. Il broie du noir, pire qu'un mineur oublié dans son trou. Je sais, c'est l'interprétation que j'en fais, totalement dénuée de rigueur scientifique, mais certainement gorgée d'humanisme.

Comme pour mal faire, ni Claude ni Mme Freud n'étaient visibles à l'école. Georges m'a dit que lui devait y retourner ce soir. À l'école.

– Claude veut me voir. Il a, paraît-il, quelque chose d'important à me dire. Je vais lui demander de t'appeler si tu veux.

Merci, Georges. Au moins je peux compter sur toi ! *I drink to that !*

Bref, je n'ai pas fait attention au nombre de verres que j'ai engloutis. Résultat : je suis en état de légèreté artificielle. Rien d'excessif, mais quand même. Je suis en train de réinventer la ligne droite.

En entrant dans la maison, tout est tranquille. Trop. Même si je viens de passer du temps avec Georges, je ressens encore un grand besoin de compagnie. Je jette un œil dans le salon. Corinne est là. Elle a les cheveux vaguement ramassés sur le dessus de la tête et une mèche rebelle vient lui chatouiller la joue. À moitié allongée sur le sofa, les deux jambes repliées sous les fesses, elle lit. De Marie-Claire Blais elle est passée au Dalaï-lama. Plus positif, il me semble.

Ce n'est pas lui qui a écrit : « Le vrai bonheur ne dépend d'aucun être, d'aucun objet extérieur. Il ne dépend que de nous... » ?

Bref, c'est dans ces moments de pure intimité muette que je sens mes hormones mâles remonter pour me titiller l'imagination. Alors il me prend une envie de lui faire l'amour. À Corinne, pas au lama. Et l'état cotonneux dans lequel je me sens ne fait qu'accélérer le flux desdites hormones. Je ressens d'ailleurs une délicieuse décharge dans les reins au moment même où j'en prends conscience. Et puis, j'ai le sentiment que Corinne court après. C'est plus facile de me justifier comme ça. « Non mais regarde ce que tu me fais faire ! », genre. La dernière fois, c'est elle qui était soûle, et je lui ai donné ce qu'elle voulait, alors...

D'accord, peut-être n'est-ce en fin de compte que le relent d'une pulsion purement physique inscrite au plus profond de mes gênes d'*homo sapiens. Who cares ?* Il y a des moments où seul l'instant présent compte. Et ce soir en est un.

Corinne a peut-être « entendu » ma pensée, car elle change de position. Elle porte une de mes chemises en guise de tenue d'intérieur, et son mouvement a accentué l'échancrure de son décolleté. En me penchant légèrement sur ma droite, j'ai une vue imprenable sur les rondeurs naissantes de ses seins. Je n'ai qu'à fermer les yeux pour voir le reste. Ça tourne un peu, mais l'image des aréoles et des tétons gonflés par le désir allume instantanément un petit brasier dans tout mon corps. Et comme nous n'avons pas fait l'amour depuis un certain temps, je ne fais rien pour tempérer ce désir soudain.

Au contraire. Je prends un malin plaisir à imaginer comment aborder Corinne : contourner le sofa (en essayant de ne pas tomber), doucement pour ne pas réveiller la torpeur qui baigne le salon, m'approcher d'elle, lentement, et commencer à lui caresser les épaules en un simulacre de massage qui ne trompe personne. Alors que mes mains s'attarderaient autour de son cou, je viendrais déposer mes lèvres juste derrière son oreille gauche, là où les sensations se mélangent entre plaisir et agacement. Puis, de baiser en baiser, je descendrais vers le cou, tandis que mes mains s'aventureraient progressivement vers sa poitrine, un peu plus proche à chaque mouvement. J'éviterais d'abord soigneusement la pointe des seins, promenant mes doigts tout autour, comme un marcheur s'approche lentement mais sûrement du sommet de la montagne en le contournant soigneusement. J'entends déjà Corinne soupirer d'aise en s'offrant un peu plus à mes caresses.

Bon, je fantasme, oui ; n'empêche que...

Je reviens dans la réalité pour entreprendre mon ascension, l'air de rien, approcher du sofa (attention à la marche !), le contourner, sans me presser. Corinne m'a vu, c'est sûr, ou du moins elle m'a « perçu », même si elle ne lève pas le nez de son bouquin. Elle attend. Ou peut-être n'attend-elle rien ? Je m'en fous, je plonge ! Et elle frémit légèrement dès que je pose les mains sur ses épaules. Un bref instant, j'ai peur qu'elle me repousse et m'envoie chier. Pire, qu'elle me propose de parler avant. Mais non, elle semble attendre la suite.

À part quelques menues variantes, je refais les gestes que j'avais imaginés. Je ne peux m'empêcher de sourire. Corinne se retourne au même moment et me surprend dans mon hilarité muette.

– Qu'est-ce qui t'arrive ? demande-t-elle en fronçant les sourcils.

– Rien, je pensais.

– Aurais-tu abusé de la bière, toi ?

– À peine, dis-je en continuant mon manège érotique.

– Didier, arrête. Il faudrait...

– Chuuuut... pas maintenant. Après, je te promets...

J'étouffe les balbutiements d'une conversation désirée entre adultes. Même si mon petit jeu me paraît déplacé, inconcevable, même, compte tenu de ce que nous vivons, Corinne et moi, je persiste dans mon obstination charnelle. L'alcool a bon dos et me donne bonne conscience. Mais pourquoi Corinne accepte-t-elle mon jeu, comme ça, à peine sans broncher ? Aucune idée, et sur le moment, je m'en fous. Je continue de plonger.

En fait, Corinne abdique. Et cela a pour effet de décupler mon désir. Elle a lâché son livre et se prête maintenant sans retenue au jeu de mes caresses. Au fond, je suis sûr qu'elle ressent quelque chose de similaire à moi, le sentiment d'être comme une digue qui n'en peut plus de retenir des flots qui montent et gonflent jour après jour. Notre union est peut-être toute charnelle, peut-être un prélude à une réconciliation. En tout cas, elle est intense, comme un baume sur nos plaies qui cherchent à se refermer à mesure que nos corps se touchent et se rencontrent.

– Viens tout de suite...

Mais je reste sourd à sa demande, me contentant de plonger ma main plus profondément encore, jusqu'à frôler la toison de son pubis. Corinne se cambre au maximum, comme si son sexe lui-même cherchait à atteindre mes doigts. Quelle douce sensation que cette moiteur prometteuse ! Je résiste pourtant à l'envie de m'emparer immédiatement de cette intimité offerte.

– Didier, s'il te plaît...

C'est une prière douce à mes oreilles, un jeu d'amour et de séduction auquel nous communions intensément, comme deux étrangers unis par la magie d'un moment qu'ils savent éphémère. Je souris intérieurement et Corinne n'est pas dupe de mon jeu. Même dans de tels moments, le jeu, toujours le jeu...

– Salaud, tu me fais languir.

C'est au moment où elle s'y attend le moins que je choisis de plonger ma main entre ses cuisses offertes, m'emparant de son sexe comme on cueille un fruit parfaitement mûr. Corinne est parcourue d'un spasme et laisse échapper un cri où se mêlent plaisir et surprise. Moi-même je n'y tiens plus et je me laisse attirer par Corinne qui me fait basculer sur le sofa. Pas trop difficile, vu mon état légèrement chancelant. D'un coup de rein bien appuyé elle me fait tomber sur le tapis et s'empresse de m'y rejoindre, s'attaquant immédiatement à la ceinture de mon pantalon avec une ardeur dont je ne l'imaginais plus capable.

« Drrring... »

Je ne supporte pas que l'on puisse ainsi briser notre intimité en pareil moment. Mais cela n'arrête pas l'ardeur de Corinne qui m'arrache le pantalon sans ménagement.

« Drrring... Drrring... »

Le téléphone n'en finit pas de nous rappeler à l'ordre, mais Corinne est imperturbable, extirpant d'un geste expert ma virilité triomphante.

« Et si c'était Claude ? » que je m'entends penser.

– Laisse sonner..., répond Corinne à mon interrogation muette.

Corinne me plaque les épaules au tapis alors que je lève la tête vers le téléphone, effort absurde pour tenter de deviner qui vient troubler nos ébats par une si belle soirée.

Bip ! Le répondeur se met en marche. Si c'est Claude, je le rappellerai.

Corinne est à genoux au-dessus de moi, prête à nous souder l'un à l'autre, guidant avec avidité mon sexe tendu vers son volcan fiévreux, comme si elle était consciente d'une course entre notre petit monde de passions et celui de l'extérieur. Mais je ne peux m'empêcher d'entendre le message qui m'engloutit comme un raz-de-marée soudain et glacial.

– Didier, c'est Georges. Si t'entends le message, rapplique illico à l'école. C'est le petit Lucien... Il a sauté une coche et il va faire des conneries. Vite...

Exit le volcan. Les vapeurs éthyliques s'évaporent d'un coup. Je remballe ma virilité tout en décrochant le combiné au vol.

– J'arrive !

Je laisse Corinne complètement hébétée sur le tapis. Mais je n'ai pas le temps de lui expliquer que la vie du petit Lucien passe avant nos ébats. Autant dire avant nous. Je ne saurais pas comment expliquer, de toute façon.

La scène que je découvre en arrivant à l'école semble irréelle. Et pourtant... J'ai l'angoisse au fond de la gorge et j'en suis à me demander si la vie n'est pas qu'un mauvais film qui noircit sa pellicule sans espoir d'un générique de fin. Est-ce qu'un jour on finira par être heureux, une bonne fois pour toutes, tous autant que nous sommes, tous les Lucien, tous les Georges et toutes les Corinne ?

C'est pourtant vrai qu'on se croirait dans un film américain de série B. Il y a des policiers, des pompiers, des ambulanciers qui vont et viennent tels des chevaliers de l'apocalypse dans la lueur inquiétante des gyrophares. L'un des policiers se tient non loin de la porte principale, bien campé devant un cordon jaune interdisant l'accès à l'école, l'un et l'autre gardant les curieux à distance.

– On ne passe pas, monsieur.

– Je suis professeur ici. Le garçon est un de mes élèves.

Soudain, je deviens le centre d'intérêt. Les commères, journalistes et autres créatures avides de nouvelles à sensation me regardent comme si j'étais la Vierge de Lourdes. J'en vois déjà un qui aligne un appareil photo dans ma direction et un autre qui sort un calepin. Je n'ai pas le cœur à supporter ce genre d'intrusion déplacée et je m'apprête à obturer l'objectif et le bonhomme quand je sens une poigne ferme m'attirer au-delà du cordon de sécurité, en marge du monde normal qui proteste et beugle son droit à l'information. Georges m'a vu arriver, et c'est sa poigne qui m'a extirpé de cette marée incongrue. Rapidement, il m'entraîne à travers les couloirs que je connais si bien et qui, ce soir, me paraissent pourtant hostiles et étrangers. De porte en porte, nous finissons par arriver dans le gymnase, transformé pour l'occasion en véritable Q.G.

C'est la première fois que je me retrouve sur une scène de crise, et ma première impression en est une de confusion. Il y a beaucoup de monde, beaucoup trop, selon moi, pour un si petit bonhomme. Des gens de toutes sortes vont et viennent dans une apparente anarchie. Cependant, je me rends rapidement compte que tous ces gens ont chacun une mission précise à remplir. J'ai l'impression d'être dans une fourmilière où chaque individu sait quoi faire et le fait sans hésitation. J'ai sous les yeux des professionnels entraînés qui font des gestes maintes et maintes fois répétés, dans le seul but de résoudre toutes sortes de situations. Je devrais me sentir confiant, réconforté, et pourtant...

– C'est vous, son professeur ?

– Quoi ?

– Je suis le sergent Forcier. Le directeur m'a prévenu qu'on avait fait appel à son professeur. Vous êtes Didier Locolo ?

– C'est bien moi. Où est Lucien ?

– Voulez-vous voir la psychologue ?

– Pour quoi faire ?

Ma réponse semble le surprendre.

– Ben... heu... je sais pas. Pour savoir quoi faire avec l'enfant.

– Écoutez, ça fait des années que des psys disent quoi dire ou quoi faire avec Lucien, et regardez où ça l'a mené.

Ma réponse est sortie toute seule, comme un jet de salive encombrant. Le sergent Forcier est légèrement embarrassé et il hoche la tête sans trop savoir quoi répondre. Moi, je ne pense qu'au petit bonhomme perdu quelque part dans sa détresse.

– Par ici, m'indique le policier.

Nous sortons dans la cour, dans un autre monde, devrais-je dire. Tous les regards sont tournés dans la même direction, comme suspendus au fil d'une petite vie fragile qu'un rien pourrait faire basculer. Lucien se tient bien droit sur le rebord du toit, en équilibre à quelque cinq ou six mètres de hauteur. Il est si proche, j'ai l'impression de pouvoir le toucher, et pourtant si loin. Quelques mètres, c'est si peu comme séparation, mais bien assez pour se casser le cou. Ce qui m'inquiète le plus, c'est son regard. Lucien regarde vers le sol, mais il ne voit personne, je le sais. Ses yeux sont fixes, tellement que j'ai l'impression de regarder une marionnette sans vie, un Pinocchio que la bonne fée aurait oublié dans sa bulle.

– Lucien, c'est Didier... M. Locolo... Regarde-moi.

Il s'écoule des secondes longues comme des minutes, tellement le silence qui nous entoure est épais.

– Lucien, regarde-moi, s'il te plaît.

D'autres moments de silence et d'angoisse s'écoulent avant que Lucien ne se décide enfin à bouger. Si peu. Lentement, il détourne la tête et vient planter ses yeux droit dans les miens. L'espace d'un éclair, Lucien est en communication avec moi, comme s'il déchargeait le contenu de sa mémoire dans mon propre esprit. Et je comprends soudain toute sa détresse, le cul-de-sac que représente sa vie, tout ce gâchis dont nous, adultes irresponsables, sommes pourtant responsables. Comment un enfant dont l'âge se compte sur les doigts d'à peine trois mains peut-il porter en lui autant de désespoir et songer à mettre fin aux jours d'une si jeune vie ? Et moi, professeur insignifiant et complice d'un système trop aveugle pour admettre sa propre ignorance, que puis-je lui dire maintenant ? Que puis-je lui dire pour l'empêcher de sauter dans un vide qui lui semble maintenant plus attirant que le vide de sa propre existence ?

Je suis hypnotisé par cette image de Lucien suspendu entre le ciel et son propre enfer, et je me sens soudain parfaitement inutile, incapable d'éteindre son incendie intérieur qui a déjà tout ravagé. Cependant, comme dans un rêve éveillé, je peux sentir autour de moi la vie continuer et battre en une activité intense et silencieuse. Puis l'immobilité du temps qui m'habite explose tout d'un coup, basculant en même temps que le corps du petit Lucien. Mon cri se coince au fond de ma gorge. Je ferme les yeux, mais mes oreilles enregistrent tout, jusqu'au petit « ploc » qui annonce la fin de la chute de Lucien.

Comment peut-on guérir et aller mieux dans un environnement si déprimant ? Les hôpitaux me font gerber, même dans la salle d'attente. Et chaque fois que je m'y retrouve, ça me fait le même effet, je revis le même phénomène, les mêmes images...

Il flotte comme un brouillard laiteux tout autour de moi. Même les bruits semblent étouffés. Je peux pourtant percevoir des cliquetis métalliques et des voix, mais sans comprendre ce qui se dit. Quelques silhouettes vont et viennent en s'activant, ce qui augmente sensiblement le niveau de cette sourde angoisse qui m'étreint. J'ai beau me forcer, je ne parviens pas à aligner deux pensées articulées. La mémoire semble aussi m'avoir quitté, et je ne comprends pas ce qui se passe. Soudain, un visage se penche sur moi, tellement flou que je reconnais à peine les traits d'une femme. Elle a une coiffe sur la tête, des cheveux noirs et frisés, et de grosses lunettes qui lui donnent un air sévère, méchant, même. Elle doit sentir que je ne suis pas tout à fait parti au pays de l'inconscience artificielle, car je sens soudain une piqûre dans mon bras droit et tout devient noir...

C'est toujours à ce moment que je rouvre les yeux, car la suite du film que je visionne en mon for intérieur est introuvable. J'avais dix ans, peut-être plus, ou un peu moins ? Quelle importance ? Le temps se contracte en un amalgame informe lorsqu'il contient douleur et inconscience. C'était moi, le patient, et je m'étais réveillé en pleine opération. Embêtant.

Bref, les hôpitaux me font gerber. Je fuis ces endroits comme la peste. Quand je m'y retrouve pour moi-même, j'ai peur pour ma vie. Quand j'y suis pour un parent, une amie, j'ai peur pour eux. Et c'est systématique : dès que je pénètre dans l'un de ces hauts lieux de la misère humaine, je ne peux m'empêcher de repenser à toutes les fois où j'y ai séjourné. Le phénomène est plus fort que moi, comme si le monde du présent était réglé pour nous renvoyer dans le monde du passé à la moindre faiblesse de notre part. Il m'arrive ainsi de me revoir le jour de mes sept ans, dans cette salle d'attente qui puait l'éther et la douleur, tremblant de peur en attendant de me faire occire les amygdales. Et puis, du haut de mes dix ans, complètement terrassé par une crise d'appendicite aiguë, roulant à toute allure sur un chariot vers le bloc opératoire. Ma mère me l'a avoué plus tard : cette fois-là, il était moins une. Et cette autre fois où j'avais dû me faire recoudre la joue après avoir vu de trop près une de ces poubelles en fonte qui, à l'époque, agrémentaient si joliment nos parcs municipaux.

Dans un sens, cette introspection involontaire me permet de passer le temps tout en essayant de combattre mes démons du passé. Il faut avouer que le présent qui m'entoure n'a rien de réjouissant : une salle d'attente qui déborde d'éclopés en tous genres et qui vomit son trop-plein de malades jusque dans les couloirs.

À propos de couloir, les portes à battants s'ouvrent à cet instant comme un papillon déploie ses ailes pour s'envoler loin, loin, loin. C'est Pierrot qui en émerge, l'air grave. Je l'ai appelé tout de suite après que Lucien ait fait son saut de l'ange.

– Et puis ?

– Rien de trop grave. Une épaule luxée. La toile des pompiers a fait le travail. Seulement...

– Seulement quoi ?

– Ils vont le garder en observation à cause de son geste.

Pierrot n'a pas besoin d'ajouter quoi que ce soit. Tout ce qu'il me dit, je l'ai déjà compris : je ne reverrai pas Lucien de si tôt. Chaque hôpital possède son aile où se retrouvent tous les suicidés manqués et grands déprimés de la vie, une aile dans laquelle on entre comme dans un grand entonnoir. Et Lucien, malgré ses treize années et quelques poussières d'existence, n'échappera pas à l'œil perplexe et scrutateur de ces chamans du neurone disjoncté. Et Dieu lui-même ne sait pas quand ni comment Lucien en sortira.

Pourtant, Lucien est en vie, et je veux croire que ça lui donne une chance de repartir à neuf. Le moteur a calé, mais il peut redémarrer. Cela dépendra de Lucien, de lui seul. Au fond, je me console en me disant que ce petit bonhomme est à la même enseigne que n'importe qui sur cette terre, même s'il vient de prendre une longueur de retard. Comme tout le monde, Lucien est en sursis.

Quand je rentre à la maison, tout est noir. Tant mieux, j'ai besoin de digérer mentalement. J'ai besoin de comprendre avant d'expliquer. Corinne n'est pas là. Pas même un mot.

Probablement partie après nos ébats avortés. Je vais m'allonger sur le lit où je sens l'ombre de son parfum. J'ai l'impression de m'assoupir auprès de son fantôme qui flotte dans sa bulle d'inconscience éphémère. Elle est probablement quelque part chez ses parents ou une amie. Ou un ami ? À l'heure qu'il est, certainement dans un autre monde où je m'en vais la rejoindre, même si je sais qu'on ne s'y retrouvera pas.

Comme il fallait s'y attendre, il y a réunion d'urgence à l'école le lendemain. Tout le personnel enseignant est présent, même les surveillants, surveillantes et substituts en tous genres. Claude nous a fait son laïus, grave et posé, mais avec un visage décomposé pour la circonstance. Tout le monde a l'air grave, d'ailleurs, et quelques femmes ont l'œil humide et le mouchoir chiffonné dans leur main crispée. Ce genre d'expérience est traumatisant pour tout le monde.

Moi, j'ai le sang latin qui commence à me bouillir dans les veines. Mme Freud, la psychologue patentée que j'abhorre tant, nous offre un soutien psychologique individuel si on le désire. Il faut exprimer nos sentiments, ne pas les garder en nous où ils pourraient se cristalliser. En attendant, elle nous baratine un discours qui est censé nous expliquer le geste de Lucien. Rien de sensé, évidemment. Son discours.

– C'est un phénomène courant, vous savez. Face à son échec scolaire qui, immanquablement à cause de sa dépression sous-jacente, devient un échec social, familial et en somme global, Lucien a préféré fermer toute porte sur le monde extérieur.

Et la spécialiste en comportement humain et animal, « car nous ne sommes que des animaux un peu plus évolués », se plaît-elle à répéter avec un sourire complice à nous, ses congénères mammifères sur deux pattes, continue son explication aussi claire qu'un smog londonien.

– Mais il est entre bonnes mains, ne vous inquiétez pas, finit-elle par conclure quelques longueurs plus tard.

– Comme il l'était avec nous !

Ma remarque a fusé comme un coup de canon viendrait réveiller un beau matin bien calme. Certains regards se tournent vers moi, certains hagards, d'autres surpris. Seul Georges a compris le fond exact de ma pensée. Claude aussi, mais il fait semblant de rien et essaie maladroitement de réparer le pot avant qu'il n'éclate en mille morceaux.

– Allons, Didier, nous savons tous combien tu aimais Lucien. Mais nous devons être forts et unis, et nous...

– Pourquoi, « aimais » ? Il est déjà mort pour toi ?

– Didier, je t'en prie. Ce n'est pas le moment...

– Pas le moment ? répliqué-je aussi sec avec une ironie aussi grinçante que mon sourire mal intentionné. La psy elle-même l'a dit, il ne faut pas que nos émotions se cristallisent.

– Didier...

– Et puis, ce sera quand, le moment ? Quand on aura suicidé toute notre école ?

– Je comprends votre frustration, monsieur Lécolo, enchaîne la psy placide, mais nous sommes tendus et...

– Locolo ! Bordel de merde ! Je m'appelle Locolo ! Vous écoutez quand on vous parle ? explosé-je soudainement. Et puis, qu'est-ce que vous comprenez, d'abord, vous, la grande chamane de l'enfance perturbée ? Vous êtes même pas foutue de vous occuper correctement de votre propre gosse !

C'est une armée d'anges qui fait soudain irruption dans la salle de conférence tellement le silence s'épaissit autour de la table. Tant mieux, je n'avais pas fini ma diatribe.

– Lucien nous glissait entre les doigts depuis des mois, j'ai essayé de vous le dire. Mais qu'est-ce qu'on a fait pour lui ? On l'a regardé s'en aller ! Vous la première !

Je suis hors de moi et je me laisse aller. Je n'ai même pas envie de faire preuve d'une quelconque retenue, j'ai pas envie de sauver les apparences. Bas les masques, qu'importe mon avenir dans cette boîte à fabriquer de gentils petits adultes pour la société de demain. Pourtant, Mme Freud se permet d'en rajouter. Ma remarque sur son fils l'a blessée et elle essaie de prendre un ton docte pour rabattre mon caquet.

– Vous savez, monsieur Lécolo, les cas comme Lucien ont beau ne pas être rares de nos jours, ils n'en demeurent pas moins complexes. Ces petits cerveaux sont aussi complexes que les nôtres...

– Mais qu'est-ce que vous connaissez du cerveau, VOUS ? Einstein lui-même avait l'humilité d'avouer qu'on ne l'utilisait qu'à une fraction de ses capacités ! Alors qu'est-ce que vous pouvez en savoir, VOUS ? Et puis lui avez-vous fait un scan de son cerveau à Lucien pour voir ce qui clochait ?

La psy perd son sourire lime et citron. Elle est poussée dans ses retranchements les plus instables et elle tente de passer à l'attaque.

– Il y a eu des progrès depuis Einstein, monsieur Lécolo, et la science a fait quelques percées intéressantes...

– Intéressantes ? Pour qui ? Les multinationales de la pilule ? Le pharmacien du coin ? Vous et vos savants confrères n'êtes que des imposteurs, madame, des sorciers, de vulgaires *pushers* légaux !

Mme Freud a les yeux braqués sur moi. Je peux presque entendre les cliquetis de son artillerie alignée sur mon *self*, prête à me fusiller. J'ai l'impression que personne ne lui a jamais parlé sur ce ton, ni jamais dit de choses semblables.

– Vous ne connaissez rien de l'esprit humain, madame, pas plus que moi. Et pourtant, des incompétents comme vous se permettent de faire des expériences sur des enfants comme Lucien sans même savoir les conséquences de leurs gestes. Eh bien, vous les connaissez maintenant, les conséquences ! Mais plutôt que d'avouer votre échec, vous remettez la faute sur le pauvre Lucien ! Vous êtes une incompétente, madame, comme tous les gens de votre espèce, et cela fait de vous des gens dangereux !

La psy de plus en plus écorchée est blême et tremblante.

– Je ne vous permets pas, monsieur...

– Je m'en fous que vous me permettiez ou pas, madame, parce que vous jouez avec la vie des autres, madame, et pour moi, c'est criminel et insupportable !

Là-dessus, je me lève en prenant le temps de regarder l'un après l'autre tous ces gens qui ont la responsabilité de former les adultes de demain. Et je me sens soudain un étranger.

– Je t'enverrai ma lettre de démission par courrier, Claude.

Puis je jette un dernier regard vers ces gens que j'ai voulu voir comme des collègues et qui ont tous le regard baissé. Seul Georges me dévisage avec un mélange de nostalgie et de résignation. Je sais qu'il a compris.

– Messieurs, mesdames, je vous laisse à vos délibérations collectives en souhaitant que votre conscience personnelle parle plus fort. Comme disait l'autre, *La conscience collective, c'est la somme des inconsciences individuelles*[*].

Exit Locolo. J'ai claqué la porte sur l'assemblée muette, que je laisse avec l'escadron des anges de l'introspection.

Un jour il faut bien faire face à ce que l'on fait pour découvrir ce que l'on est et qui on est vraiment.

* Georges Elgozy.

J'ai erré ici et là le reste de la journée, comme un somnambule, *les yeux grand fermés,* comme faisait le beau Tom dans le film du même nom. J'avais besoin d'effacer de ma mémoire les dernières heures, remplacer les images du diaporama qui passait en circuit fermé dans mon esprit douloureux.

Quand j'ai pris conscience que le soleil bougeait encore, je suis retourné à la maison.

Mais l'horrible sensation de vide me remplit encore et toujours. Ce n'est plus de la colère. Je l'ai toute vidée. Pas de la tristesse, non plus. J'ai essuyé ma dernière larme en ouvrant la porte de la maison. Non, c'est une sorte de *non-vie* qui m'habite. Je veux oublier le petit Lucien et avec lui tous les Lucien de la terre, petits et grands, et dont je fais partie. Je ne veux pas remuer en moi le couteau du remords ou du « si-j'avais-su ». Je sais que cela ne servirait à rien. Maintenant je comprends que l'échec de Lucien me renvoie à l'échec de ma propre enfance. Si moi je m'en suis sorti par chance ou par hasard, j'aurais voulu réussir à travers Lucien, contre vents et marées. Mais je ne suis qu'un fétu de paille dans le cyclone de la vie.

Ce vide qui m'habite maintenant, il me faut absolument le combler. Vite. Car, comme chacun sait, la Vie a horreur du vide. Et moi aussi. Oui, il me faut absolument noyer ce vide et toutes les pensées qui le polluent, et n'importe quoi fera l'affaire. Ne plus raisonner, ne plus se demander pourquoi ni comment.

Alors que je me dirige vers mon éternelle échappatoire, le frigo, pour y pêcher la dernière bouteille de rouge entamée, je remarque au passage la lumière du répondeur qui clignote. J'hésite. Et si c'était Corinne ? Je n'ai pas vraiment envie d'écouter ce qu'elle a à dire. On ne s'est pas revus ni parlé depuis notre *coïtus interrompus.*

Mais la curiosité étant la plus grande qualité de l'*homo sapiens*, j'appuie sur *Play.* La voix numérisée qui s'extirpe alors du boîtier de plastique agit sur moi comme une douche bienfaisante dans ma vie collante et sans but.

– Didier ! C'est Naÿle. Tu sais, l'audition dont je t'avais parlé, eh bien, je l'ai eue ! J'ai le rôle ! C'est génial, non ? Je tourne aujourd'hui. Viens me rejoindre au Studio Mel's, sur Pierre-Dupuy. Je devrais y être jusqu'à dix-neuf heures, dix-neuf heures trente. J'ai vraiment hâte de te revoir. Je t'embrasse. Bye !

Le répondeur s'est tu. Il a fini de cracher le message qu'il gardait jalousement dans sa mémoire binaire. Je ne me rappelle pas que Naÿle m'ait parlé d'une audition en particulier, mais bon...

Je regarde ma montre muette égrener les secondes qui me séparent de dix-neuf heures. Évidemment, je n'ai pas l'auto puisque Corinne est partie avec. Et qu'elle n'est pas revenue, d'ailleurs. Peut-être que cette fois...

Je secoue la tête et mes pensées reviennent immédiatement à Naÿle. Je n'ai pas envie de m'obscurcir ce moment qui m'apparaît comme une éclaircie dans mon ciel d'orage. Je décroche le combiné et compose un numéro glané dans les Pages jaunes.

– J'ai besoin d'un taxi au 7595 Shaughnessy. Dans trente secondes, c'est possible ?

Je ne pense pas que le répartiteur m'ait pris au sérieux. Il faut quand même laisser à la vie le temps de s'écouler. Quelques minutes plus tard, donc, je me retrouve assis à côté d'un chauffeur d'apparence chinoise qui m'explique dans un français approximatif comment Jésus a changé sa vie. Pas besoin de parler. J'écoute. On dirait que le gars poursuit son discours de façon ininterrompue d'un client à l'autre. Je suis sûr qu'il doit même se parler entre deux courses.

Je n'achète pas ses chinoiseries, mais je me dis qu'il vaut mieux croire en quelque chose, même improbable, que de ne croire en rien du tout.

La prière ? Oui, oui, j'ai déjà essayé, me dis-je de nouveau *in petto.* Taux d'efficacité assez mince. Je laisse ça aux Mère Teresa et Benoît XVI de ce monde. Moi j'ai besoin de résultats, du tangible, comme un petit Lucien libre et souriant, par exemple. Ou au moins quelque chose que je puisse ressentir en mon for intérieur. Ça me rappelle d'ailleurs la fois où j'avais demandé un cheval au petit Jésus, un tout petit poulain de rien du tout. En fait, c'était à ma marraine que je le demandais, mais via Jésus. Mais je pense que le message ne s'est jamais rendu, car je n'en ai jamais vu la couleur, du poulain. Alors depuis...

Quinze minutes et vingt dollars plus tard (nous avons déambulé, ou quoi ?), je descends devant le Studio Mel's.

À l'intérieur, un réceptionniste me demande sur quel plateau je vais.

– Comment ça, quel plateau ?

Il me regarde d'un air vaguement condescendant, le con ne descendant pas à mon niveau de néophyte, mais je sens qu'il est tout de même prêt à faire un effort.

– C'est quoi le titre du film ? soupire-t-il.

Ah oui, le titre du film. Bonne question. Naÿle n'a pas précisé.

– Aucune idée. Mais il ne doit pas y en avoir des tonnes, non ?

Même regard désabusé de l'initié pas pédagogue.

– On a quatre plateaux, aujourd'hui, conclut-il dans un dernier murmure avant de se détourner de mon ignorance.

Ah ? Eh bien, tant pis. Je vais les faire un à un, les plateaux. Je longe un long couloir qui semble descendre vers des profondeurs mystérieuses. Tout est étrangement silencieux. Au passage, je croise toutes sortes d'inscriptions sur des affichettes blanches, des flèches noires sur fond jaune, des noms bizarres, et ce qui ressemble à des titres de film. « The last bomb », « Jokes for a jocker », « CRAFT », « CCM », « XTRA », « SET ».

Soudain, une cloche stridente retentit non loin de moi et me fait sursauter. Si mon cœur a perdu son rythme de croisière l'espace d'un souffle, je parviens à repérer d'où venait ce bruit – une porte gigantesque frappée d'un non moins gigantesque A majuscule. Juste à côté, une porte de taille humaine avec une lumière rouge au-dessus. Puisqu'il faut bien commencer quelque part, je me dirige vers la petite porte que j'ouvre à grand-peine tellement la succion de l'air qui s'y engouffre est grande. Je débarque alors dans un antre aussi noir que les enfers en panne de feu, et puis bang ! La porte se referme violemment derrière moi.

– Coupez ! hurle quelqu'un quelque part.

– Dring ! dring ! stridule la cloche frénétique.

– C'est quoi, ce bordel ? hurle la même voix céleste et orageuse. Régie ! Personne n'entre pendant les prises !

– Hé, toi, là ! Les figurants ont pas d'affaire sur le plateau. Allez, on dégage !

Je n'ai pas le temps d'articuler la première voyelle que je suis *manumilitarisé* hors du studio A. C'était donc ça, la lumière rouge... D'accord, on en apprend tous les jours.

Arrivé à la porte C (tiens, pourquoi ce n'est pas B ?), je m'assure que la lumière rouge est *off* avant d'entrer. Même combat herculéen contre la porte qui me laisse enfin passer. Tout de suite un quidam bardé de fils et de talkie-walkie m'intercepte.

– Les figurants, c'est dans la salle d'appui, au fond du couloir !

Cette fois-ci, j'ai le temps de lui expliquer que je ne suis pas un figurant mais que je cherche une actrice du nom de Naÿle. Je pense que mon français n'était pas à sa hauteur, car il ne répond pas du tout à ma question.

– Vous êtes pas avec nous ? Désolé, le plateau est interdit aux visiteurs. Sécurité. Angélina Jolie est sur le set.

Et me voici une fois de plus recraché d'un autre studio. Non, mais dites donc, ça a l'air sérieux, tout ça. Vous refaites le monde en secret ou quoi ?

Arrivé au studio F (ne me demandez pas où sont passés les autres...) après m'être perdu dans quelques couloirs obscurs, j'ai comme une hésitation à ouvrir la porte. Mais il faut croire aux contes de fées, si, si. Car au moment où je me posais la question : fuir ou ne pas fuir ce lieu hermétique et inhospitalier pour qui n'est pas du milieu, la porte s'ouvre dans un super-ralenti et Naÿle apparaît dans une auréole de lumière crépusculaire.

– Didier !

J'ai droit à un beau bisou tendre appuyé d'une belle étreinte. Son corps est chaud et fébrile. La belle à la crinière flamboyante a le feu dans les yeux.

– C'est super d'être venu. Je viens de terminer. T'as pas eu de mal à trouver ?

– Penses-tu ! J'arrive à l'instant.

Certains appelleraient cela mensonge, ou orgueil mal placé, moi je dis tact et diplomatie. Pourquoi être alarmiste et négatif ?

– Excuse pour le message. J'ai dû faire vite, et je ne suis pas sûre de t'en avoir assez dit.

– Ne t'inquiète pas. Tu m'as dit le principal.

Soudain, mon sang se glace. Ce message si bref m'apparaît tout à coup trop bavard : j'ai oublié de l'effacer du répondeur...

J'ai fait une chose inouïe, aujourd'hui. Une chose que je ne me serais jamais crue capable de faire. Mais il fallait que j'agisse, ne pas rester victime, surtout après le coup de la baise interrompue.

Tout ça, c'est à cause de Didier. Et de Francine, aussi.

Je ne pensais pas que j'aurais pu m'abaisser à faire ça. Façon de parler, car une fois la chose consommée, je n'avais plus l'impression de m'être abaissée. Pour moi, c'était une question de survie. Point final.

Je me rappelais l'adresse. Tout ce que j'avais à faire, c'était de m'y rendre en auto après le travail. Notre vie étant tellement erratique, et hermétique, en ce moment, j'étais sûre que Didier ne me poserait aucune question sur mes allées et venues. Et quand bien même il le ferait, un mensonge de plus ne changerait rien au poids des remords et doutes en tous genres qui pèsent sur ma vie actuelle.

De toute façon, ce qui est fait est fait.

Flash-back...

L'horloge de la Bibliothèque marque dix-sept heures trente. Toutes les filles ont déjà quitté les lieux. J'avais un dernier travail à terminer et j'ai pris le temps de le faire. Je voulais surtout éviter que Mireille m'invite à un autre de ses cinq à sept pour parler entre femmes.

Avec la circulation du retour à la maison, j'en ai au moins pour une heure de trajet. Pas grave, je veux prendre le temps de réfléchir à ce que je vais lui dire. Je sais, ça manque de spontanéité, mais je préfère me faire un scénario et apprendre les répliques principales que je devrai absolument dire. Même si ça ne se passe pas exactement comme le scénario que je construis, au moins j'aurai des points de repère auxquels me rattacher.

N'empêche que j'ai la chienne ! La climatisation de l'auto ne suffit pas à me rafraîchir et j'ai chaud comme une femme ménopausée. Bientôt, je sais.

Le pont-tunnel Hyppolyte est au ralenti, et quand j'en sors, mon histoire tient debout. Aurai-je le courage d'aller jusqu'au bout, par exemple ? Ce serait bien mon genre de m'arrêter devant sa maison, descendre de l'auto et ne pas dépasser la chaîne de trottoir !

J'ai imprimé un plan du quartier que j'ai trouvé sur Google. Juste au cas, car j'ai la mémoire des lieux et le sens de l'orientation. Eh oui ! il arrive que les femmes en soient dotées, elles aussi !

Je reconnais rapidement les environs, les noms de rues, les parcs, et je m'arrête enfin. Il doit faire quinze degrés dans l'habitacle, mais j'ai chaud.

– 1530 de Mortagne. C'est ici.

Moteur coupé. Clefs dans le sac à main. Mains que j'ai d'ailleurs très moites et très tremblantes. Oui je tremble. Certains actes, certains gestes, aussi banals puissent-ils paraître à certains, peuvent représenter de véritables défis pour d'autres. Pourtant, je sais qu'une fois les premières paroles échangées, la glace sera brisée, et j'irai jusqu'au bout. Le plus difficile est de descendre de cette auto, de monter les marches du perron puis de sonner à la porte d'entrée.

« Ding ! dong ! »

C'est fait. Je ne peux plus reculer. Mon cœur bat la chamade au point que j'ai peur qu'il se décroche de lui-même. Refus de battre, de se battre, d'aller plus loin. Est-ce possible ? Je veux dire, techniquement ? Que de questions stupides surgissent parfois dans notre esprit !

Des pas dans le vestibule. Une forme approximative et mouvante se déplace et danse en ombre chinoise à travers le verre dépoli de la porte. Bruits de verrou, la poignée tourne, et voilà. Nous y sommes. Il se tient bien droit dans l'encadrement de la porte, l'air surpris, abasourdi, même.

– Corinne ?

– Bonsoir, Georges. Je peux entrer ?

Ma panique n'a été que temporaire. Vient un moment où l'on se dit qu'on s'en fout, qu'on laisse aller. Naÿle avait les yeux pétillants d'un enfant qui va à sa première kermesse. Et puis, mon vide existentiel commençait à peine à se remplir d'un semblant de bien-être. Alors j'ai craqué.

– On va manger une bouchée ? Après je voudrais te montrer une petite bouquinerie que j'ai trouvée dans l'ouest.

– À cette heure-là ?

– Ben oui ; c'est quoi le problème ?

Il n'y a jamais de problème avec Naÿle. Elle me proposerait d'aller danser la samba au bingo de Kanawake un dimanche soir que je me sentirais obligé de la suivre sans même me demander si la réserve est ouverte aux Blancs.

Après avoir avalé ce qu'il fallait de carburant pour que le corps vive et suive, nous avons pris le métro. Naÿle m'a raconté avec excitation sa journée de tournage. Un petit rôle, comme elle dit, mais qui peut lui donner beaucoup de visibilité.

– Et ça t'a pris toute la journée pour dire huit répliques ?

La belle enfant rigole de toutes ses dents. Le cinéma est un art qui requiert du talent, de la persévérance et, surtout, beaucoup de patience.

Quelques stations de métro plus tard, nous nous extirpons du ventre de Montréal. Même si le crépuscule enveloppe déjà la ville, c'est un mur de chaleur moite et intense qui semble s'effondrer sur nous.

– Il paraît que le réchauffement de la planète risque de créer un retour progressif à l'ère glaciaire à cause du renversement de certains courants marins. Paradoxal, non ?

Elle dit ça en gazouillant, comme elle parlerait d'une nouvelle recette ou d'un poème de Baudelaire. Pour Naÿle, le sujet importe peu tant que l'on peut débattre et s'interroger. Elle est capable de parler de la déroute de la planète et de l'humanité comme si elle était extérieure à tout ça.

– L'homme est stupide de ne pas mieux protéger le cadeau qui lui a été fait, enchaîne-t-elle avec légèreté. D'un autre côté, ça ne sert à rien de palabrer et de critiquer si soi-même on ne fait rien pour empêcher ça, non ?

– Mais toi qui es toute jeune, ça ne t'emmerde pas de voir des vieux schnocks irresponsables bousiller un peu plus chaque jour ton futur et celui de tes enfants ?

– Qui t'a dit que je voulais des enfants ?

Et paf ! Naÿle a aussi le don de déstabiliser.

– Alors toi, ton futur à toi ? hasardé-je pour éviter les explications.

– Le futur c'est maintenant, tu ne crois pas ? Si tu crées, tu es toujours un peu en avance sur le temps, parce que tu fais l'avenir, en quelque sorte. Alors, tant que je peux penser, rêver, autrement dit, créer, je considère que j'ai un avenir, malgré les vieux schnocks.

Paf et re-paf ! Sa philosophie est simple mais viable. On y croit. J'y crois, et le sourire angélique qu'elle affiche est une arme redoutable.

Les anges des studios A à F opinent d'ailleurs du chef et des plumes puis retournent en coup de vent vers les *stars*.

– Donc, le militantisme, c'est pas ton truc.

– Au contraire ! C'est pour ça que j'écris et que je veux être publiée... et lue. Le pouvoir et la responsabilité des artistes sont bien plus grands qu'ils ne le pensent.

Nous marchons sur le trottoir, et Naÿle m'explique haut et fort la responsabilité de l'artiste, sans égards aux regards des passants amusés. Sans m'en rendre compte, je rentre dans ma bulle introspective et je pense à des trucs idiots et sans avenir. Extirpé du temps présent comme un nouveau-né de la matrice, je ne vois pas Naÿle qui s'arrête sans crier gare. Le choc est inévitable. Nous nous retrouvons enlacés, malgré nous, au bord du déséquilibre. Un ange (qui n'a pas suivi les autres au studio) prend le temps de passer entre nous en semant ici et là un soupçon de malaise et d'interrogation. Mais le rire de Naÿle le fait fuir à tire d'ailes. Elle reste pourtant collée à moi et m'attire vers une devanture crasseuse et anonyme.

– C'est ici.

Coincée entre un hôtel miteux et le casse-croûte du « Roi de la frite », la caverne d'Ali Baba du bibliophile passe tout à fait inaperçue. Naÿle me dit quelque chose à l'oreille, mais ses mots sont avalés par le vrombissement d'un camion tout proche. Ce sont les vidangeurs de l'espèce humaine qui s'approchent et s'arrêtent devant nous dans un crissement infernal de freins. Deux éboueurs, le torse nu recouvert d'un gilet phosphorescent, descendent prestement et enfournent un monceau de rebuts dans le ventre nauséabond de leur monture métallique.

Quand ils repartent, nous avons déjà déserté le trottoir et le vacarme extérieur pour nous plonger dans un monde de silence feutré. J'ai l'impression de pénétrer dans une église, dans une oasis où le temps réel n'a plus d'importance. Ici ne vit que le temps immortalisé dans tous ces livres empilés pêle-mêle. C'est un bric-à-brac où cohabitent et s'entremêlent tous les genres. C'est aussi les odeurs qui racontent l'usure de l'âge sur l'encre et le papier, mais pas sur les idées.

– Qu'est-ce qu'on cherche ?

– Rien. On est venus pour trouver. C'est fondamentalement différent.

Petit clin d'œil à la dérobée qui fait fondre un peu plus l'espace qui nous sépare. Naÿle chuchote comme une conspiratrice, comme si nous étions dans un sanctuaire fragile où seuls quelques initiés peuvent entrer.

Pendant que je gamberge, Naÿle est déjà en mode exploratoire. Moi, je fais semblant. Je suis un voyeur qui ne cesse d'être fasciné par cette fille qui me semble venir d'un autre monde. Elle va et vient dans ma vie comme un parfum de liberté viendrait me chatouiller les narines avant de disparaître dans un souffle. Et alors que je l'oublie, elle réapparaît au coin de ma rue. Cette fille sort de la normalité bourgeoise de classe moyenne enseignée et reconnue. Il y a quelques siècles, on l'aurait certainement brûlée en place de Grève.

Naÿle a secoué la torpeur de ma quarantaine, ébranlé les charnières de ma vie de bourgeois pépère. Naÿle est une remise en question permanente, malgré sa jeunesse ou, au contraire, grâce à cette jeunesse. Naÿle est pour moi une lumière sur laquelle vient se brûler le papillon aveugle que je suis. J'ai beau tenter de me raisonner, je ne peux m'empêcher de m'imaginer avec Naÿle. Fuir ailleurs, démarrer une nouvelle vie avec elle en effaçant Corinne, Lucien et le passé dans le même souffle.

Deux questions fusent instantanément du plus profond de mon esprit :

« Pourquoi ? »

Et puis : « Pourquoi pas ? »

Quand la vie fout le camp et que plus rien ne va, il faut prendre des mesures radicales, draconiennes. La solution de facilité aurait été de tout abandonner, quitter Didier et couper les ponts. Mais je n'ai jamais aimé la facilité quand elle est un déni du moindre effort que l'on puisse faire. L'antithèse de ma visite chez Georges, en passant.

– Je comprends que ma démarche vous paraisse inattendue, peut-être même déplacée ou déraisonnable.

Georges me dévisage avec bienveillance, sirotant doucement une bière à la robe mordorée. Mimétisme inconscient, j'avale une gorgée de la mienne. On dirait deux ex-ennemis se retrouvant après des années de silence et fumant le calumet de la paix. De nouveau sur sa terrasse de banlieue, mais sans Didier ni Mme Zézette, partie faire des courses. C'est mieux comme ça.

– Quand les gens ne sont pas raisonnables, c'est la société qui devient déraisonnable.

Georges me sourit, sans malice. Sourire que je lui renvoie sans gêne.

– Pas de joute de citations aujourd'hui, Georges, d'accord ?

Il opine du chef et s'enfonce plus profondément dans son fauteuil de patio.

– Au fond, Corinne, ta visite ne me surprend pas vraiment. Mais dis-moi quand même, quel bon vent t'amène ?

Je me raidis un peu en entendant ce « tu » familier. Mais si Georges peut m'aider, alors autant se mettre à l'aise.

– D'abord, je veux que ma visite reste un secret entre nous. Pour l'instant, du moins. Je peux compter sur vous ?

Georges fronce les sourcils comme si j'étais une de ses élèves prise en défaut.

– Je veux dire, toi, compter sur toi.

Georges sourit d'aise. Dans le fond, maintenant que je le regarde bien, il ressemble plus à un bon gros père Noël qu'au Barbe-Bleue que j'avais gravé dans ma mémoire.

– Je serai une tombe, Corinne. En passant, j'admire ton courage.

– Tu n'es pas si méchant que ça, quand même !

– Non, je parlais de toi et Didier.

Aussitôt j'ai un doute. Serait-il déjà trop tard ? Est-ce que Georges sait des choses qui rendent ma démarche parfaitement caduque ?

– Heu... est-ce que Didier... est-ce qu'il a...

Georges lève sa grosse main avec une douce autorité.

– On va mettre les choses au clair tout de suite, Corinne. Je suis prêt à t'aider mais je ne te dirai rien de ce que Didier aurait pu me confier. D'accord ? C'est mon côté ex-séminariste.

Je souris pâle à la blague, mais je comprends. Je n'aimerais pas ça, moi non plus. L'accord tacite et réciproque se lit dans nos regards qui se croisent. Peut-être est-il déjà trop tard et qu'il n'y a plus rien à faire. Et je suis prête aussi à cette éventualité. Mais si je suis venue de si loin jusqu'ici, de l'orgueil à l'humilité, c'est parce que je veux croire que quelque chose est encore possible. Ou bien me faire une idée, quelle qu'elle soit. Alors, Georges, toi qui nous voit de loin, où en sommes-nous, Didier et moi ?

On ne connaît pas vraiment les gens tant que l'on n'a pas partagé un peu de vérité avec eux. Les Mireille, Nadia, Laurence et tous les autres, proches et anonymes, qui les connaît vraiment ? Dès que l'on gratte un peu l'épiderme social, on découvre des êtres fragiles et sensés, des gens épris de justice et d'amour. La vérité est rarement visible au premier coup d'œil.

Georges m'avait blessée lors de notre première rencontre, humiliée, même. C'est du moins la façon dont je m'étais sentie à ce moment-là, indépendamment des intentions de Georges. Mais, évidemment, nos perceptions sont toujours filtrées, et trop souvent biaisées, par notre éducation et notre vécu.

Je l'avoue humblement, au moins à moi-même, j'ai eu des parents qui ne m'ont jamais confrontée à l'opposition. Même quand j'ai décidé de faire des études littéraires plutôt que de médecine ou de droit, comme ils l'auraient désiré. À bien y penser, j'aurais aimé être décoratrice. Mais le désir de déplaire rend aveugle. Au risque de ne rien faire de ma vie, je voulais être quelque chose d'autre, ne serait-ce que pour les contrarier. Mais ça n'a pas fonctionné. Fille unique, ils ont pris soin de moi comme d'une poupée de porcelaine. Et ça me colle à la peau encore aujourd'hui, comme une ombre qui me suit même en pleine nuit. Les plis de l'éducation cassent la fibre de la personnalité, parfois au bon endroit, trop souvent où il ne faut pas.

Didier avait bien essayé de me présenter Georges sous un autre jour, après notre funeste rencontre. Même si je m'efforçais de ne pas l'écouter, son discours a tout de même pénétré mon orgueil blessé et fait son chemin en moi. Dans mon univers, Georges était catalogué pour toujours, un goujat sans classe ni sensibilité.

Je me suis trompée. Heureusement pour moi. Georges représente aujourd'hui la dernière bouée de sauvetage à laquelle me rattraper avant que je ne prenne le large pour sombrer corps et âme dans les abysses de la solitude obligée. J'ai trop longtemps été seule. Je ne supporte pas le vide. Et plus j'avance en âge, pire c'est. Comment fait-on des compromis ?

– Chacun vit ses tempêtes, et toi et Didier ne faites pas exception.

Je n'ai pas besoin de poser beaucoup de questions pour que Georges comprenne ce que j'attends de lui. Jamais je n'aurais imaginé ça.

– Vous êtes tous les deux ballottés dans votre tempête et il n'y a plus de phare pour vous montrer les récifs.

Et moi qui pensais que les gens comme Georges n'étaient doués que pour les blagues de fesses ! Le corps est décidément une formidable forteresse, trop souvent rébarbative, et qui cache des êtres magnifiques.

– Ma thérapeute... heu, je suis une thérapie, pour y voir plus clair, Didier t'a dit ? Bref, elle m'a conseillé de lâcher prise. Paraît-il que je cherche trop à tout contrôler.

– Les psys donnent trop souvent des conseils qu'ils ne suivraient pas eux-mêmes !

Même si sa remarque me fait sourciller, je sais que Georges ne dit pas cela pour me blesser ou me donner tort.

– C'est dans la nature humaine de vouloir savoir où l'on s'en va, continue Georges avec calme. Qui ne contrôle pas sa vie finit par se faire contrôler par elle. C'est automatique.

– Mais toi, tu connais Didier comme moi je ne l'ai jamais vu. Alors ?...

Ma question n'en est pas une, et pourtant, ce simple mot, « alors », renferme en ce moment même la quintessence de toutes mes interrogations.

– Désolé, Corinne, je ne te dirai pas ce que tu dois penser de ta vie avec Didier. C'est à vous deux de trouver votre propre porte de sortie.

La condition humaine... On voudrait être maître de sa vie et en même temps se faire montrer le bon chemin.

– Ce que je peux te dire sans trop me tromper, par exemple, enchaîne Georges sur le même ton, c'est qu'on ne croise pas la vie des gens sans raison.

Je ne le sais que trop. Benoît Dompierre en est un bel exemple. Mais parfois, ça ne fait que nous plonger un peu plus dans la confusion.

– Tu sais, Corinne, les anniversaires se succèdent et les dizaines filent beaucoup plus vite qu'on veut bien le voir. On en a combien en banque ? Sept ? Huit ? On n'a pas de temps à perdre. Personne.

C'est vrai qu'on préfère ne pas regarder tout ce temps qui passe autour de nous, parce qu'il file, avec ou sans notre consentement.

– Je pensais faire un voyage avec Didier. Je ne sais pas, je me disais qu'en prenant de la distance face au problème on pourrait peut-être mieux le voir ? S'éloigner ensemble pour se retrouver ?

Georges me regarde en opinant doucement de la tête. Il a l'air de réfléchir intensément. J'aimerais croire qu'il cherche à intégrer toutes ces informations aux siennes déjà présentes dans son esprit pour en faire une belle synthèse et sortir une réponse bien carrée, complète et parfaite. Je me surprends à rêver, à espérer...

Puis je détourne les yeux de mes pensées pour les reposer dans ceux de Georges qui me regarde avec une bonté de père Noël. La nuit nous aura bientôt engloutis. Il est temps que je parte.

Je trouverai mes réponses.

C'est pourtant Georges qui conclut notre entretien.

– La première personne à qui accorder ta confiance, c'est toi-même. Tout le reste est superflu.

Je suis rentré à la maison très longtemps après les douze coups de minuit. Cendrillon m'avait donné la permission. En réalité, je suis revenu chez moi le lendemain matin, alors que le soleil avait déjà étiré ses rayons matinaux sur toute la ville. Naÿle et moi, nous sommes allés prendre un verre après être sortis de la caverne d'Ali Baba. Avant d'accepter, j'ai tout de même eu une brève pensée pour Corinne. Très brève. Car, après tout, elle ne m'avait laissé aucun mot, aucun message pour me dire où elle était, et encore moins pour me dire quand elle allait rentrer. C'était une bonne raison.

Beaucoup plus tard, alors que j'allais dire à Naÿle que je devais rentrer chez moi, elle m'a proposé d'aller danser. Oui, danser, dans un de ces endroits qui ne ferment jamais, un *After hours,* comme on dit en bon français. C'est drôle mais je ne m'étais pas imaginé Naÿle allant danser.

– Une fois de temps en temps, j'adore !

Alors j'ai craqué, une fois de plus. J'ai suivi ce vent de jeunesse jusque dans les profondeurs d'une sorte d'entrepôt où grouillait une marée humaine agitée de soubresauts sur les rythmes funky d'une musique électronique. Loin de mes airs favoris, cette musique avait pourtant le don de faire bouger dès qu'elle pénétrait nos tympans. Magique.

– C'est de la *House !* m'a crié Naÿle à l'oreille.

La seconde d'après, la belle tornade était en route pour le reste de la nuit, un marathon de défonce corporelle valant à lui seul une année de jogging. Alors je l'ai suivie sur l'immense piste de danse où flottait une brume sèche irisée par les lumières stroboscopiques multicolores. Même si au début je me sentais légèrement mal à l'aise au milieu de cette marée de jeunesse, Naÿle m'a vite débarrassé de mes scrupules, comme on enlève le manteau aux invités qui arrivent. Avec elle, j'étais des leurs. Et je n'ai eu qu'à me laisser aspirer par le magnétisme sensuel et mystérieux qui émanait des ondulations du corps et de la fraîcheur de l'âme. La musique a fait le reste.

La nuit s'est volatilisée comme dans un rêve. Je n'avais pas passé de nuit blanche (et endiablée !) depuis... certainement l'université ! Quand nous nous sommes extirpés de l'antre de la *House,* assommés et soûls de rythmes et de lumières, le soleil avait déjà fait son lit sur la ville.

Nous avons partagé le même taxi, et j'ai su où Naÿle habitait. Un instant, j'ai pensé à Ludmilla. En d'autres lieux, en d'autres temps... Et pourtant, scénario presque similaire.

– Merci pour cette soirée, Didier. Je te sens tellement proche de moi. On a déjà dû se rencontrer dans une autre vie !

Petit rire enfantin, long baiser tendre à quelques millimètres de nos bouches respectives – un rien pourrait tout faire basculer. Regards brefs mais intenses, quelques secondes d'un bonheur en équilibre incertain, puis Naÿle s'éclipse comme une belle lune rousse au lever du jour.

– Tu viens faire ton tour quand tu veux.

En arrivant chez moi, tout est calme. Je me demande tout de même où est Corinne ? Est-elle revenue de sa fugue ? Si oui, à l'heure qu'il est, elle est certainement déjà repartie pour le travail. Je me dirige vers le répondeur... *Play*, volume faible, comme si je ne voulais pas réveiller la maison qui semble dormir. Le message de Naÿle est toujours là. *Delete.* On oublie tout. Au fond, je sais que mon geste est futile et stupide. Corinne a très bien pu l'écouter et le laisser là, comme ça. Du moins si elle est rentrée.

Je me dirige ensuite vers la cuisine pour aller boire de l'eau. Mes exaltations nocturnes m'ont laissé comme un désert dans la bouche ! J'ai un petit sursaut en entrant dans la pièce. Un petit pincement au cœur, aussi. Un carré blanc au milieu de la table en noyer réfléchit la lumière du plafonnier restée allumée. Corinne est revenue et elle m'a probablement attendu. Aïe ! aïe ! aïe ! Je m'empare sans hâte du morceau de papier muet sur lequel s'étirent quelques mots griffonnés à la hâte.

Avant, Corinne m'écrivait des petits messages qui se terminaient immanquablement par *xxx*. Je n'ai jamais accordé d'importance à ces trois lettres. J'y voyais une espèce d'automatisme, ou peut-être un rite pour conjurer quelque mauvais sort appréhendé. Aujourd'hui, certainement quelques lettres dénuées de sens dans le quotidien à sens unique qui dérape sous nos pieds. De toute façon, elle ne m'écrit plus. À part ce mot.

Réveille-moi si je dors quand tu arrives. On doit parler.

A-t-elle écouté le message ? Certainement. Mais quelle importance ! Je suis prêt à tout expliquer.

Je vais tout de même vérifier dans la chambre, juste au cas. Évidemment elle est vide. Le lit n'est même pas défait. Corinne aurait dormi sur le divan ? En attendant, c'est moi qui vais me coucher.

Pour être tout à fait franc, je suis tout de même soulagé de savoir que Corinne n'est pas partie comme ça, sans un mot, sans explication. Au fond, je me rends compte que je tiens encore à elle. D'une certaine façon, même si je ne sais plus laquelle. Après tout, on ne peut pas balayer des années de vie commune comme ça, d'un coup négligent du revers de la main.

Avant que le sommeil ne m'engloutisse en douceur, ma dernière pensée est tout de même pour Naÿle et cette folle nuit d'une jeunesse retrouvée.

C'est le même film qui passe et repasse sur mon écran intérieur. Projection privée. Histoire classique, ça n'arrive qu'aux autres, jusqu'au jour où... Je ne sais même plus si je suis en train de rêver.

Est-ce que le sommeil a fini par me trouver ? J'ai pourtant l'impression d'être terriblement consciente.

Où est Didier ?

Clic ! Le film repart du début.

La femme de l'histoire (c'est quoi son nom ? Pas Corinne, au moins !) vient de comprendre qu'elle aime son mari et qu'elle ne veut pas le perdre. Remplie d'allégresse, elle erre sans but dans la ville. Le ciel est pur, l'air un peu moins. Mais qu'importe ! L'amour renaissant lessive toutes les amertumes.

La femme voudrait embrasser tous les passants tellement son bonheur la porte haut. Soudain, elle croit reconnaître un visage dans la foule, là-bas, sur le trottoir d'en face. En fait, elle en est sûre, car son cœur s'est mis à battre plus fort tout d'un coup, comme si des milliards de bulles de champagne pétillaient dans ses veines. C'est un signe qui ne trompe pas. Qui ne la trompe pas. Un frisson, une bouffée d'oxygène, un pur délice, la fraîcheur d'un premier baiser... L'amour, quoi !

Mais maintenant c'est une note discordante qui sonne à ses oreilles et vient troubler la magnifique symphonie qui jouait en toile de fond. Oui, c'est bien lui. Mais pas QUE lui.

Le film se met alors à tourner au ralenti, question de bien voir les images et comprendre l'intrigue qui se joue là dans un douloureux psychodrame.

Une femme est au bras de l'être aimé. Les deux rient aux éclats quand la femme trébuche et tombe dans les bras de son compagnon. Puis un véhicule vient cacher la suite aux yeux de la femme blessée dont le sourire est maintenant à l'envers. Quand elle peut de nouveau voir le trottoir de l'autre côté de la rue, le couple a disparu. En les cherchant, le regard de la femme tombe sur l'enseigne d'un hôtel borgne. Ses yeux sont frappés d'une marée soudaine qui déborde et se déverse en silence sur ses joues frémissantes.

Alors les images du film se précipitent, cruelles et douloureuses. Des images de deux corps qui s'enlacent et se collent, animés par les soubresauts de la passion. La chambre est minable mais l'amour est intense. Leur beauté intérieure déborde les frontières et emporte la laideur du monde.

Que fait la femme quand elle est trompée ? Aller frapper à la porte de la chambre ? Assouvir une vengeance ô combien méritée ?

L'orgueil et la fierté sont plus forts que le désir de déchirer la passion coupable. Dans les premières minutes, les premières heures, du moins.

Rentrer chez elle, se blottir au creux de son désespoir, laisser le chagrin se déverser pour que l'âme se lave du désir de vengeance. Mais est-ce possible ? Les blessures d'amour sont des hémorragies dont personne ne sort indemne ni ne guérit totalement. Les larmes ne sont au fond qu'une marée d'amertume dans laquelle le cœur s'effondre comme une falaise rongée par les assauts de l'océan.

Le même film passe et repasse sur mon écran intérieur. Tantôt en couleurs, tantôt en noir et blanc.

Pourtant, je n'ai pas eu besoin de voir.

Un seul message sur un répondeur a suffi pour faire mon cinéma.

... J'ai vraiment hâte de te revoir ! Je t'embrasse...

Quel est ce nom, d'ailleurs ? Naile ? Nelly ?... Peu importe, qui est-elle ?

J'ai dormi tellement profondément que même un tremblement de terre ne m'aurait pas réveillé. Il est midi passé depuis belle lurette et c'est le téléphone qui me sort enfin de mon état comateux. Combien de fois a-t-il sonné avant que je ne revienne à la vie ? C'est Claude qui m'appelle pour que je reconsidère ma décision. Les bons profs sont une denrée rare. Il fallait y penser avant, mon vieux ! J'ai la tête en coton et la bouche en papier mâché mais j'arrive tout de même à articuler quelques mots sensés.

– Désolé, je ne suis plus capable de travailler dans ce milieu. Trop d'hypocrisie, trop de *power trips*. Je t'avais prévenu.

Puis c'est Georges qui appelle un peu plus tard. Je le soupçonne d'avoir été mandaté par Claude. Peu importe, ça ne change rien à ma décision.

– Question d'intégrité. Tu comprends ça ?

Georges comprend. Il n'insiste pas.

– Qu'est-ce que tu vas faire ? demande-t-il ensuite.

– Je ne sais pas. Me recycler peut-être ?

– T'as raison, c'est tendance, le recyclage.

On a ri. On s'est tus. On s'est invités pour une bière. On a raccroché.

Je suis en vacances, démission ou pas. Et les profs, qu'ils soient chômeurs ou désabusés, ont deux mois de vacances. Décalage constant avec Corinne. Un autre. Elle peut mettre bout à bout seulement quatre semaines, de peine et de misère. De toute façon, je ne pense pas que nous ayons le cœur à parler vacances ou voyages en ce moment.

Qu'est-ce que je fais de mon temps ?

J'appelle Naÿle. Grand progrès en ce qui me concerne.

Manque de pot, elle n'est pas chez elle. Je laisse un message.

– On peut se voir ? Demain, après-demain, ou dans la prochaine éternité ? Quand tu en auras envie et n'importe où. Quelque part fera l'affaire. Laisse-moi savoir.

Il reste encore quelques heures à cette journée. Alors je m'installe devant une belle page blanche sur ma table de travail. Le mélange d'euphorie, d'inquiétude et d'incertitude qui m'habite depuis quelque temps semble me donner une poussée de fièvre d'inspiration. Mais les idées se bousculent, comme s'il y en avait trop tout d'un coup. Et puis, il y a Naÿle et Corinne qui dansent, se fondent et se confondent dans mes pensées, devant mes yeux.

Alors rien ne sort de mes doigts.

Ça viendra.

C'est la nuit qu'il est beau de croire à la lumière.

Oui, M. Rostand, vous avez raison, il faut croire.

En attendant, il y a Georges qui n'attend que mon appel pour aller partager un peu d'amitié quelque part sur une terrasse. Fin d'après-midi, heure idéale pour une petite blonde bien fraîche.

Peut-être aussi une façon pour moi de repousser l'inévitable explication avec Corinne.

Ce qu'il y a de merveilleux avec les amis, les vrais, c'est qu'ils répondent toujours présent.

– Pourquoi tu m'as amené ici ? s'inquiète Georges.

Nous sommes attablés à une terrasse grouillante d'une meute bruyante et plutôt hétéroclite. Et pour cause.

– Je ne sais pas, pour changer.

Georges regarde autour de lui, l'air sceptique comme une fosse un peu trop pleine.

– Quand même... Le village des Schtroumpfs !

Les images de Georges me font toujours rire. La première fois qu'il m'avait sorti celle-là, je n'avais pu m'empêcher de lui en demander la signification exacte.

– Ben quoi, t'as déjà lu les Schtroumpfs, non ?

– Oui, pis ?

– Ça ne t'a jamais intrigué de voir qu'il n'y avait pas de femmes dans leur village ?

Tiens, c'est vrai. Mais... il y a la schtroumpfette.

– Et la schtroumpfette ? enchaîne Georges en écho à ma pensée non exprimée. Elle a plutôt l'air d'un travelo, non ?

Silence sans commentaires, durant lequel une ribambelle d'anges passent en se tenant par la main. Tiens, tiens...

Je regarde autour de nous. Sans jeu de mots, je trouve l'endroit gai et coloré. C'est le Club Med mais sans la plage. C'est sûr qu'on nous reluque, car de toute évidence, Georges et moi, on ne fait pas très couple. Et je peux comprendre le malaise qui habite Georges. Hormis le fait que lui et moi soyons hétéros sans l'ombre d'un doute, et inébranlables dans nos convictions, il est vrai que l'on finit par se sentir étranger dans cette île de Lesbos et Callipyges. Homos et hétéros, noirs et blancs, nord et sud, partout l'intolérance et le rejet fonctionnent à double sens.

– Alors tu ne reviens pas, c'est sûr ?

Je le regarde droit dans les yeux et mon silence est une réponse sans appel. Mais Georges le savait déjà.

– J'ai entendu parler d'une école où ils font des miracles avec des gosses comme Lucien, dis-je dans le prolongement de mon silence. Et sans chimique, me permets-je de rajouter, cynique.

Georges a les sourcils en accent circonflexe. Je sais que son âme de missionnaire est émoussée, comme celle de beaucoup de profs, d'ailleurs. Mais je sais aussi qu'il serait prêt à me suivre au cas où le miracle se vérifierait.

– Je t'en donnerai des nouvelles, si jamais je peux me dénicher un poste. Il paraît qu'ils cherchent.

Georges a souri, mais tristement. Mon départ de l'école Saint-Timothée représente pour nous une sorte de séparation. On sera moins proches, c'est sûr.

Ami, amour, amant, toute séparation est douloureuse.

– Est-ce que tu as couché avec cette Nelly ?

Ce n'est pas une question à proprement parler, c'est un séisme précurseur d'un terrible tsunami. À peine ai-je mis le pied dans la maison que Corinne fond sur moi et attaque comme une guêpe affolée prête à darder sans pitié. Je me sens vaciller comme un boxeur qui n'aurait pas vu venir l'uppercut. Et ma contre-attaque est malhabile comme un manchot à la harpe.

– Elle s'appelle Naÿle, pas Nelly. Ça se prononce comme *Nike*, sauf que tu dis le *e* final un peu comme un *é*, et tu dois le laisser mourir dans ta bouche...

– Ta gueule avec ta phonétique de merde ! hurle Corinne soudain métamorphosée à la fois en Thor et en Modi*. Je t'ai posé une question. Réponds-moi !

Je la regarde longuement, dans les yeux, essayant d'endiguer le maelstrom de mes sentiments et des mots qui se

---

* Thor, dieu germanique du tonnerre, et Modi, son fils, *le furieux*.

bousculent aux portes de mes lèvres dans une confusion totale. Je n'ai jamais vu Corinne comme ça. Elle me fait peur. Elle ressemble à une bête blessée que la douleur rend encore plus furieuse. Bêtement, je me demande pourquoi nous en sommes rendus là. Ça fait des semaines et des mois que je gamberge là-dessus sans trouver de réponses. Pourquoi tout à coup la lumière se ferait ? Et pourquoi Corinne pense-t-elle que j'ai couché avec Naÿle ? D'accord, j'ai découché, et après ? Elle nous a vus quelque part ensemble ? Quelqu'un de l'école lui aurait parlé dans mon dos ? Questions totalement stupides, je sais. Désolé, ce sont les seules qui me viennent en ce moment de grande tension. Pourtant, la première surprise passée, je remonte sur mon cheval et décide de contre-attaquer.

– Tu me fais suivre maintenant ?

Corinne doit prendre ce long silence et ma répartie (moyenne, je sais) pour un aveu, car elle tourne les talons après m'avoir lancé un regard assassin baigné d'un éclat liquide. Une fois de plus, la porte de notre chambre se referme en claquant sur notre couple moribond.

J'aurais dû savoir qu'il y avait quelque chose de différent cette fois-ci.

Je n'ai même pas pensé à me servir un verre. J'avais plutôt besoin d'aller prendre l'air. Alors je suis sorti pour aider à faire tomber la pression et ne pas alimenter le volcan. Peut-être que ça n'aurait rien changé non plus. Corinne avait certainement pris sa décision avant même que je sorte.

J'étire les minutes en comptant les secondes, en faisant mon itinéraire avec application : je calcule le temps qui s'écoule, celui qu'il me faudra pour atteindre la maison en passant par Iberville plutôt que par Saint-Michel. Et je calcule parce que je tente de me rassurer en calculant ce qui est calculable, car il y a tellement de choses, de circonstances et d'événements qui ne peuvent se prévoir et se calculer.

Quand je rentre à la maison, je suis prêt.

– Corinne ? Je suis rentré. Viens, on va parler.

Je sais pertinemment qu'elle ne me répondra pas. Elle ne répond jamais quand elle est très fâchée. Et là, elle est très, très fâchée. Il faut donc que j'entretienne la conversation tout seul, comme on souffle sur un feu pour ne pas le laisser mourir.

Alors je parle. Je parle tout seul, aux murs, au plafond, aux chaises, à tout ce que mon regard peut croiser. Et je lui dis tout, ma rencontre avec Naÿle, ce que j'ai ressenti pour elle, notre passion commune pour l'écriture, le plaisir de travailler ensemble, les fantasmes qu'elle suscite en moi, la nuit débridée que je viens de passer et même le baiser que nous avons échangé. Je dis tout, au risque de me faire planter, car c'est bien connu, on est toujours puni quand on dit la vérité.

– Je n'ai jamais couché avec elle, jamais.

Mais Corinne ne répond toujours pas. Alors je fais une chose que jusque-là je me refusais à faire : je me lève pour aller retrouver Corinne dans la chambre. Je trouve cela un peu humiliant, comme si je devais absolument aller à sa rencontre afin de demander pardon pour un crime que je n'ai pas commis. Mais je suis prêt à ça pour retrouver la paix. Même si nous devions mettre la hache dans notre union, mieux vaut enterrer la hache de guerre avant de partir chacun de notre côté.

– Corinne ?

Mais la chambre est vide, vide de tout. Je ne sens même pas l'ombre de sa présence, comme si Corinne était partie tellement vite que son empreinte même l'avait suivie. La grande valise verte n'est plus là. Corinne a dû y fourrer toutes ses affaires et elle est partie sans laisser d'adresse, même pas un mot. Rien.

Alors je me retrouve comme un con au milieu d'une pièce trop vide et trop grande pour moi tout seul. Je me retrouve avec mes explications tellement complètes et précises qu'elles ne trouveront jamais l'oreille de Corinne. Je me retrouve au milieu de ma vie soudain trop vide de tout, avec mes questions qui reviennent se faire écho à l'intérieur de ma caboche d'homme blessé.

Est-ce qu'une séparation est une liberté recouvrée ou un nouveau néant à apprivoiser ? Le même discours se fait alors dans mon esprit. Pourquoi faut-il que l'être humain ait tant besoin de remplir les vides ? Pourquoi est-ce si difficile de supporter l'absence ? Et pourquoi tous ces foutus pourquoi qui ne trouvent jamais de parce que ?

Je ne dirai pas que c'est Corinne qui m'a jeté dans les bras de Naÿle. Trop facile, comme l'alcoolique qui accuse la bouteille d'avoir été trop proche de sa main, ou le joueur ruiné qui se plaint de l'existence des casinos. Non, j'assume entièrement la responsabilité de mes actes, même si la réaction de Corinne a pu déclencher quelque chose en moi. J'avais toujours le choix de ne pas frapper à la porte de Naÿle quand je suis arrivé chez elle. D'ailleurs, c'est ce qui a bien failli se produire. Le poing levé, je me suis figé dans mon élan en entendant des voix à l'intérieur. Mais je ne reconnaissais pas celle de Naÿle. Alors j'ai été plus fort que ma peur de l'inconnu, plus grand que ma couardise. Pour une fois. J'ai frappé pour en avoir le cœur net. Les voix se sont tues et, quelques secondes plus tard, Naÿle ouvrait.

– Didier ? Entre... Justement, je pensais à toi.

Ce qu'il y a de merveilleux avec Naÿle, c'est que tout semble naturel et simple. Aucune question, aucune gêne, peu importe la raison qui m'amène, je suis le bienvenu et la vie est belle !

– J'écoutais *La Matrice*. C'est peut-être la centième fois, mais on dirait que ce film donne des ailes à mon imagination !

Elle rit, et son rire coule en moi comme une cascade à la fraîcheur bienfaisante. Puis elle me parle de la dernière idée qu'elle a eue au sujet d'un roman qu'elle veut écrire. Elle a tellement d'idées qu'il lui faudra deux ou trois vies pour tout écrire. Et encore, si elle s'arrête de penser.

Je trouve que sa voix est claire et mélodieuse, que son sourire est plus éblouissant que jamais. Une fois de plus, je sens quelque chose de magique dans cet instant, cette même énergie qui voyage et nous enveloppe dans une seule et même bulle. Malgré les ouragans qui viennent de dévaster quelques pans de mon existence, je me sens comme un bateau qui aurait largué les amarres, libre de naviguer où bon lui semble.

Même si le vent m'entraîne
À regagner le large
C'est ton rire que j'emmène
Pour noyer mes orages

D'ailleurs, je me sens libre d'être proche de Naÿle, aussi désireux de la prendre dans mes bras et de l'embrasser. Naÿle doit le sentir, car elle cesse de parler et me regarde gravement, intensément. Ses yeux me vrillent jusqu'au fond de l'âme et je la sens qui lit ce que j'ai trop longtemps cherché à étouffer.

Soudain, les années qui avaient commencé à s'affaisser sur moi semblent s'envoler, et un tumulte doux et délicieux s'empare de tout mon être. Naÿle se penche lentement vers mon visage jusqu'à effleurer mes lèvres avec les siennes. On efface tout et on recommence. Prise deux. Ses gestes sont lents et mesurés, comme si elle ne voulait pas brusquer ces premières secondes, ce moment unique qui marque la rencontre de deux êtres, toutes ces sensations qui s'impriment à jamais dans notre mémoire comme si l'on savait depuis toujours que cet instant ne se produit qu'une seule fois.

Ses mains caressent mon visage, plongent dans mes cheveux et courent sur mon corps comme si elles venaient de découvrir une *terra incognita*. Naÿle me parle doucement, elle chuchote à mes oreilles des mots que je ne comprends pas vraiment mais que je sais doux et beaux. Elle m'enivre de ces sensations que je pensais perdues à jamais.

Puis Naÿle se lève et laisse doucement tomber sa grande tunique multicolore sous laquelle je l'ai si souvent rêvée. Elle se découvre à moi sans honte et sans pudeur, parfaitement nue. L'avais-je imaginée ainsi ? Est-ce que mon fantasme avait dessiné des seins si parfaits ? Est-ce que mon esprit torturé par le désir avait rêvé un ventre si chaud, des cuisses si douces ? Je ne sais pas, je ne sais plus et je m'en fous : Naÿle est beaucoup plus belle que je ne l'avais imaginée, puisque je la découvre avec les yeux d'un moribond que la vie vient de ressusciter.

Naÿle s'approche de moi et presse ma tête contre ses seins. Le parfum que j'ai si souvent emporté dans mes rêves m'enveloppe et m'imprègne. Alors, comme dans ces rêves de fièvre et de folie, je me retrouve nu, pressé contre elle. Je ne sais plus si je suis en elle ou elle en moi, tellement j'ai l'esprit chaviré par des vagues de plaisir où s'engloutit ma conscience. Naÿle me dévore littéralement. Sa bouche est un fruit tiède qui libère des torrents de frissons d'où cascade la sève de mon arbre généalogique. Mon corps ne m'appartient plus.

Je ne sais même pas si je l'habite encore. Je me laisse glisser dans un tourbillon de sensations où se fondent les frontières entre l'âme et la chair. Plus rien n'existe que cette fusion de nos deux corps se mariant à nos consciences qui se soudent et s'emmêlent en une seule et même passion.

Naÿle m'offre tout. Je pénètre les nouvelles contrées d'un amour tout neuf, butinant sans retenue le miel d'une fleur longtemps respirée, ardemment désirée. Naÿle me possède en se donnant tout entière. Elle m'offre toutes les saveurs de son corps et je me fais un festin de ses monts et merveilles. Et je m'enivre de la chaleur de sa bouche, du parfum de ses cheveux et de sa peau qui fleurent la liberté. L'extase nous arrache des râles mêlés de rires, des tremblements secoués de soupirs, des frissons parcourus de sourires. Puis le calme retombe en volutes parfumées d'amour, la paix revient couler en nous, comme après une tempête libératrice qui balaie et engloutit tout, la rage, le doute et le remords.

Combien de temps avons-nous passé à dériver dans ce délicieux chaos ? Nous reprenons conscience à la mesure des secondes qui semblent s'écouler paresseusement dans la chaleur moite qui nous recouvre. Quelle heure ? Quel temps ? Quelle importance, puisque plus personne ne m'attend. C'est l'attente qui crée le temps, ou l'absence, car le temps ne compte plus quand on aime. Mais il file.

– Corinne est partie.

– Je sais.

Pourquoi avais-je besoin de rajouter ça ? Je n'étais pas bien avec Naÿle ? La page était tournée, on était dans un autre chapitre, un autre livre, et il a fallu que je revienne en arrière. Faux pas.

– Excuse-moi. J'aurais dû fermer ma gueule.

Je souris tristement. Naÿle me regarde sans rien dire. Elle sourit aussi, indulgente. Puis elle se penche vers moi et m'embrasse tendrement. Je me laisse faire comme un oiseau blessé qui ne cherche même pas à se défendre, proie facile dans les griffes de Naÿle qui m'entraîne une fois de plus dans son univers de fraîcheur et de sensualité. Nous faisons l'amour une autre fois. Je me surprends et j'en oublie mes rides et ma quarantaine que je traînais comme des boulets.

Et puis, le rideau tombe.

– Il faudrait que tu partes, maintenant.

Ce « maintenant » me ramène dans l'univers du présent de l'imparfait. Je retrouve mes repères, même si je me sens encore flotter dans un bain d'irréalité éphémère. J'aurais préféré quitter Naÿle sans ces repères, sortir de mon rêve une fois seul.

À l'extérieur, je suis happé par la douceur de la nuit. Tellement que je ne cherche même pas de taxi. J'ai envie de marcher. Mais plus je marche et moins je suis sûr. C'est un spleen obscur et insidieux qui s'empare lentement de moi. Plus j'avance dans les rues désertes, plus je m'éloigne de Naÿle, qui redevient rêve, une histoire impossible et dont je sens, pourtant, encore les sensations.

Est-ce qu'un rêve est encore un rêve quand on l'a vécu ?

Je m'assois sur un banc maculé par les empreintes de tous ceux qui avaient quelque chose à dire au monde. Des rêves d'amour, de haine ou de combats ; des rêves de justice ou de désespoir. Est-ce que mon rêve aurait sa place sur ce banc ?

– T'es trop con, mon vieux, t'es vraiment trop con !

Personne n'est là pour m'écouter, alors je me parle. Je suis la bouche et l'oreille. Et l'espace d'un instant, je comprends le déséquilibre du désespéré, le déséquilibre de celui qui en a trop sur le cœur et le décharge sur lui-même, se voûtant un peu plus sous le poids de son désespoir. Je me parle tout haut, tout seul, comme pour me forcer à regarder mes idées en face. Après l'euphorie des sens et de l'âme, je ressens les affres du doute.

– Pourquoi j'ai fait ça ? On n'était pas bien, avant ?

Seules quelques rumeurs de la ville m'arrivent en guise de réponse, comme un air connu qui s'insinue et se transforme graduellement en une chanson dont les mots s'impriment d'eux-mêmes dans mon esprit.

Six milliards de solitudes...

La chanson de Bélanger me rappelle qu'on est toujours seul face à ses choix.

– T'as quarante-trois ans, bientôt quarante-quatre, même, et tu files sur tes cinquante comme un marathonien sur ses derniers milles. Elle en a vingt-huit... T'as jamais voulu d'enfant, pas assez bien pour vouloir te prolonger ; elle en voudra peut-être un jour... C'est quoi l'avenir dans tout ça ?

Je soupire en me prenant la tête dans les mains. Je voudrais que tout s'arrête, là, maintenant, comme une partie de Monopoly qu'on est sûr de ne jamais gagner.

– T'es complètement à côté de la plaque, mon vieux.

Vient un moment où je n'en peux plus de me balancer des compliments. Alors je quitte mon banc, bateau soudain sans amarres et sans gouvernail qui a fui le cyclone pour se retrouver sur une mer étale. Je voudrais qu'une brise se lève et retienne dans la nuit toutes ces pensées qui me collent à la vie.

Quand j'arrive à la maison, je me sens encore désorienté. Mon atterrissage dans la réalité s'est fait douloureusement, comme d'habitude, et j'ai les sentiments qui se font toujours la guerre au fond de moi. Dans les méandres de ma crise existentielle, l'image de Corinne est en surimpression, comme un filigrane, une image diaphane qui ne peut s'effacer.

Mais Corinne est partie, et comme je la connais, je ne la reverrai pas avant quelques lustres et des poussières. Autant dire jamais. Ou peut-être par hasard, en train de musarder rue Saint-Laurent.

Le voyant rouge de mon répondeur clignote frénétiquement. Ce doit être elle qui me laisse le testament de notre couple. Mais je n'ai pas envie de l'entendre. Je veux tout effacer, Naÿle, Corinne, et en même temps toutes les autres qui ont jalonné ma vie, partagé mon plaisir et inscrit leur nom en lettres incandescentes et douloureuses dans ma mémoire. Je veux tout effacer comme si c'était possible de tout recommencer, comme ça, d'un coup de *Erase all.*

Exit le clignotant rouge.

Assis dans mon confortable divan de cuir *full tendance* (c'est bête comme certains détails nous reviennent en des moments tout à fait incongrus, mais c'était l'argument du vendeur), je vis ma crise existentielle la plus grave : je fais face à quatre verres aux formes agréables et différentes. Je sirote alternativement Pinaud, porto, rouge et blanc tout en essayant de faire un grand vide intérieur. Mes idées, mes images, le présent, le passé, tout ça semble s'évaporer à mesure que je me laisse envahir par la douce langueur des alcools mélangés. Je ne sens pourtant aucune ivresse, au contraire, je suis terriblement conscient. Trop conscient de la futilité de mon existence. Quarante quelques années de vie, de bourlingage, de souffrances et d'orgasmes en tous genres, pour finir par un grand vide, seule porte de sortie face à la souffrance morale. C'est fou comme la fin peut ressembler au commencement ! J'ai l'impression que c'est toute l'espèce humaine qui, comme moi, tourne en rond dans son éternel cercle vicieux, à l'image de notre minuscule planète qui tourne sur elle-même en oubliant les autres systèmes solaires.

Je n'ai même pas entendu la clé dans la porte, pas plus que ses pas sur le plancher. Peut-être que je dormais ? Pourtant, quand j'ouvre les yeux, Corinne est là, debout devant moi, la valise verte à ses pieds, et ce n'est pas un rêve.

– Il faudrait qu'on parle Didier. Une fois pour toutes. Il le faut, vraiment. On se doit bien ça, non ?

Un regard, un soupir et le temps qui semble retenir son souffle. Une parenthèse qui s'ouvre et se ferme presque en même temps. C'est un flottement comme j'en ai déjà connu des dizaines, des centaines. Des anges qui s'arrêtent ici et là, au hasard de nos pensées secrètes dans lesquelles on s'engloutit en oubliant la vie autour de nous.

Les parenthèses de la vie ou la vie entre parenthèses ?

Mais quoi qu'on fasse, la vie ne s'arrête jamais. Jamais...

Que mes yeux le croient ou non, Corinne était revenue. Contre les vents et les marées de son orgueil et de mon égoïsme, une main tendue vers l'impossible, à l'envers de toute logique normalement reconnue par la majorité rampante des *homos sapiens*. Moi en tête.

Alors nous avons fait le ménage. Enfin. C'était la meilleure façon de voir à quoi tenait notre couple. Et de voir si couple il y avait. De toute façon, Corinne ne m'aurait jamais laissé sans une dernière (et véritable) tentative de recoller les morceaux, ou de tout réduire en cendres. C'est ce à quoi j'aurais dû m'attendre d'elle, au fond. Comment ai-je pu penser une seule seconde que la vie l'avait dissoute ? Est-ce que je la connais vraiment ?

– Je veux pouvoir me retourner sur notre passé sans que ça me fasse mal ici.

Corinne se martèle la poitrine en me fusillant du regard. Que j'ai du mal à soutenir, d'ailleurs. Son regard. Il brille de cet éclat humide de la tristesse et de la douleur que seule la détermination parvient à endiguer. Vaguement. C'est fragile.

Je sens des flots de sentiments prêts à submerger le dernier barrage qui nous sépare, et j'ai peur. Mais le *timing* est bon. Certains événements n'arrivent que si le moment est bien choisi, qu'on le choisisse réellement ou non. Et ça n'a rien à voir avec l'alignement des planètes ou l'ascendance de la généalogie des étoiles.

– On se doit bien ça, non ?

Au fond, ce sont les femmes qui sont courageuses. Les hommes n'ont que des couilles. Personnellement, j'aurais laissé notre histoire mourir sans assistance. Personne ne m'aurait accusé de non-assistance à couple en danger. Nous vivons dans une société moderne et évoluée, quand même ! Mais Corinne a voulu y insuffler une dernière dose d'oxygène, un ultime coup de défibrillateur. Et le choc a réveillé ce qu'on avait soigneusement plié en quatre dans notre tiroir à oubli, la caverne des secrets dont les murs suintent de sentiments saumâtres. À ma grande surprise, il y avait encore de la vie dans tous ces souvenirs douloureux envoyés aux archives à détruire. Mais on ne se débarrasse pas aussi facilement de sa mémoire. Et ce n'est pas vrai que le temps est une déchiqueteuse à souvenirs. La douleur et le chagrin, la honte et la colère, le mensonge et la trahison restent en nous comme autant de kystes en dormance. Ces semences du cancer de l'âme ne réagissent à aucun antibiotique, aucune chimio.

Alors on s'est tout dit. Tout. Les quoi et les comment, les où, les quand et les pourquoi. Les Naÿle et les Benoît. Tout. S'il nous faut partir l'un sans l'autre, autant que ce soit la tête vidée de notre merde commune et personnelle. S'il nous faut garder un passé de nous, autant que ce soit le bon. Et s'il nous faut repartir ensemble pour un autre tour de manège, que ce soit sur une page blanche et vierge. Corinne a raison ;

il n'y a rien de pire que de traîner en soi les lambeaux de nos vies passées imbibées de notre propre bile, toutes nos fuites en avant qu'on n'a jamais osé regarder en face.

Bien sûr, la vaisselle de nos egos en a pris un coup. Mais quelques tasses et assiettes orphelines valent bien un regain de sérénité. Ce n'est pas parce que l'humanité bâtit de nouvelles civilisations sur les ruines encore chaudes et fumantes des anciennes qu'il nous faut faire de même.

Corinne faisait éclater des pans de sa vie que je ne connaissais pas et qui tombaient en petits fragments à mes pieds. Et moi je ramassais les morceaux de ce miroir dans lequel je voyais surgir peu à peu un autre visage de moi. Par la brèche béante de nos blessures qui, au fond se ressemblent, les mots sortaient avec de moins en moins de retenue, libres et libérateurs. Et plus je faisais le ménage de mes propres tiroirs, plus Naÿle prenait une texture irréelle, évanescente, comme un rêve qui nous réveille entre deux états de conscience. N'était-elle qu'un de ces anges qui passent et s'attardent dans nos vies, le temps d'un souffle, d'une parenthèse ?

Et si tout cela n'avait été qu'un fantasme vécu dans une vie parallèle ? Un songe venant d'une autre dimension et dont la frontière avec ma propre conscience serait devenue perméable le temps de quelques révolutions planétaires ?

Car nous le savons tous, la vie n'est qu'une illusion.

Ce matin, je me suis fait réveiller par un phénix. Il est venu se poser dans mon rêve, et après avoir replié ses ailes, il m'a longuement regardé. Le message était trop évident pour ne pas le comprendre : quelquefois, il faut savoir mourir pour mieux renaître. Puis le phénix a disparu, et j'ai ouvert les yeux. Il était cinq heures du matin. Bien sûr, j'ai été incapable de me rendormir. Dehors, toute une colonie d'oiseaux avaient pris la relève de mon phénix et s'égosillaient à qui mieux mieux dans une joyeuse cacophonie.

Alors je me suis levé et je suis sorti de la maison. Il avait plu durant la nuit, et l'air était pur et frais. Marcher aux petites heures d'un doux matin d'été est une expérience tout à fait jouissive. La nuit semble avoir filtré l'air et les odeurs paraissent, elles aussi, sortir d'un long sommeil. Les couleurs sont lavées de toute pollution et ressortent sous un jour nouveau. Et je comprends les Impressionnistes d'avoir autant *tripé* sur la lumière.

J'ai erré comme ça pendant une heure ou deux. Je me sentais comme un voyageur sans but, un bateau parti en mer sans carte ni boussole, comme pour être sûr de ne jamais toucher de port d'attache. Était-ce le manque de sommeil ? Notre ménage de la veille à Corinne et moi ? Mon esprit tournait en rond comme un poisson dans son aquarium plein d'une eau encore troublée par l'orage, un peu de boue en suspension dans le bocal de notre vie de couple.

Mais il faut laisser à la vie le temps de décanter.

J'ai fini par retrouver ma rue, ma maison. Ma vie ? Peut-être est-ce le pilote automatique qui s'est mis en route à mon insu ? Car il faut bien arriver quelque part, un jour. Mais non, je savais où j'allais. On sait toujours, d'ailleurs, même si c'est très loin tout au fond de nos derniers retranchements de conscience. Quelqu'un m'attendait pour faire un autre bout de chemin avec moi. Et quand quelqu'un vous attend quelque part, cela donne une raison d'être à votre existence.

Pour combien de temps encore ? Je ne sais pas. Corinne non plus. Ce n'est pas la question. Les larmes et les mots ont balayé le chemin devant nous. Parce qu'ils étaient vrais, sans autre intention que de dire ce qui était là. Le précipice est de chaque côté. Il a toujours été là d'ailleurs, mais maintenant nous le savons, nous le voyons.

Naître, grandir, se reproduire et puis mourir ?...

La vie n'est pas si linéaire. Elle ne l'a jamais été, et l'est encore moins aujourd'hui.

Si la routine semble l'étouffer, la vie finit toujours par resurgir, quelque part, un jour.

Sinon elle meurt. D'une façon ou d'une autre.

En vérité, la vie est échevelée, imprévisible, surprenante.

Comme cette histoire qui commence.

Imprimé sur du papier 100 % recyclé